為了新的書籍之路、文明之路

——寫在《當代東亞人文經典100》導讀出版之際

金彥鎬（東亞出版人會議會長）

我們出版人都有一種信念：一本書可以使人和世界變得更美麗。我們參與東亞出版人會議的成員，信賴書的思想和力量。為了一本書的權能和美學，我們對圖書出版的事業鍥而不捨。

東亞出版人會議選定二十世紀中葉以後，東亞各個國家或地區出版的名著和具影響性的作品，互相翻譯出版這些作品，刊行導讀本，是東亞文化史上的重大事件。這是超越國界和領域，構築橫跨東亞的出版共同體、讀書共同體的文化、學術、理論試驗。

經過我們熱烈討論、認真研究，所推進的《當代東亞人文經典100》叢書項目，應該會突破東亞出版的域限，引起世界出版人的關注。東亞各國出版的諸多作品，其內容和理論應該被正確認識、評價，我們發起的「東亞的書」運動也是東亞文明和文化被正確認識、評價的人文學運動。

我們所推動的書籍文化，應該可以創造新的思想之路、精神之路、文明之路；我們所推出的《當代東亞人文經典100》叢書，應該會成為一項強有力的文化運動，成為一條克服東亞現存的政治、經濟問題的文明之路，最終成為形成真正的東亞共同體之基礎。以書籍創造東亞共同體才是我們東亞出版人會議的目標和哲學。

作為一個出版人，我驚訝於東亞有志的出版人之間的相識與友情能夠結出如此美麗的果實。我們為此感到高興。過去六年來的交流與討論使這些成果成為現實，也一定會在未來創造更多的成果。相信東亞出版人會議構築的網路會成為構築更有意義的東亞出版共同體、讀書共同體的基石。

東亞出版人會議關注年輕的編輯。年輕編輯們的交流和討論會成為開創東亞出版共同體、讀書共同體之路的具體方案。今後，我們應該為在出版第一線工作的年輕編輯們提供更多的交流和學習平台。

在此，感謝為東亞出版人會議的理想而提供支持的各國國家機關、公共財團、研究者和媒體工作者。東亞出版人會議以超越自身的領域，追求人類的普遍理想和價值觀為宗旨。我們將與所有擁護書籍文化精神和思想的人們一道繼續推動東亞出版人會議，因為書之路、讀書之路也就是開啟人類社會之美麗前程的必由之路。

（太紅勝譯校）

總序
《當代東亞人文經典100》叢書的選定過程

東亞出版人會議全體成員

「東亞出版人會議」是一個民間的非盈利性質的會議，它以促進東亞地區的書籍交流為目的，由來自中國大陸、香港、台灣以及韓國、日本的出版人組織而成。二〇〇五年秋於東京舉辦了首次會議之後，東亞出版人會議於此後的六年間輪流在各個國家或地區每半年舉行一次會議。會議自始即力圖避免當下許多「文化交流」中常見的一時性問題，而是以對各國家或地區人文書籍的出版現狀以及對與之密切相關的人文學科、人文知識領域諸問題，進行持續坦率的批評與自我批評為目的。與會成員認為只有這樣才能了解相互的書籍出版，包括對各自圖書出版歷史情況的了解，也唯其如此才能摸索到重新開展東亞「書籍交流」活動的理想方式。

在書籍的產生與傳播方面，前近代時期的東亞擁有遠比西歐更為悠久的歷史，也保持著更為長久的書籍共用的關係。這種對書籍的長期共用與交流不僅在東亞各地區催生了豐富多彩的書籍文化，也成為開拓具有各自特色的知識深化之路的巨大原動力。東亞出版人會議將曾存在於東亞地區的書籍共用與交流的關係稱為「東亞讀書共同體」，並致力於在現代再次促成這一關係的建立。在多次召開會議的過程中，各地的出版人提出了挑選「東亞地區一百種值得分享的人文書籍」並促進相互翻譯出版的課題。而這套叢書的書目選擇，正體現了東亞出版人對於希望其他國家或地區的讀書人相互閱讀什麼書、什麼樣的書值得介紹給其他國家或地區等問題的認真考慮。

那麼這套叢書的整體選定「標準」是什麼呢？首先是這一〇〇種書如何在各國家或地區「分配」，以及時期劃分即從哪個時代開始選擇的問題。在不遠的過去，東亞各國家或地區人文書籍的出版經歷了一段艱辛的歷程。中國內地曾深受「文化大革命」的動蕩之苦，台灣地區也曾長期處於戒嚴令之下；韓國經歷了長期嚴酷的軍事獨裁和民主化鬥爭的時代。在那莫說人文書籍的出版，就連維持人文學科生存的土壤尚且不保的年代，許多優秀的作者和出版人為保存和培養這一土壤歷盡辛苦。另一方面，日本在從高度經濟成長到泡沫經濟破滅的過程中，由於市場主義和效率主義大行其道，不僅是人文書籍的出版，連人文學科自身都受到了長期的侵蝕。根據上述東亞各國家或地區晚近的歷史情況，東亞出版人會議最終確定了一〇〇種書的分配方案：中國大陸、日本、韓國各選二十六冊，台灣和香港地區則共選出二十二冊。選書的時期設定以過去六十年間為主，必要時也會追溯至更早時期。

在二〇〇八年三月下旬於日本京都召開的第六次會議上，與會成員就選書標準進行了熱烈討論，並確定了以下六項基本原則。

一、從各地的出版物中遴選出在東亞地區值得共用的書籍。選擇那些對各自地區的歷史、文化、社會、藝術、思想等相關問題做出深刻思考並指明普遍性課題之所在的書籍。嚴格甄別出那些不是一時性，而是具有長期的、持續的影響力，真正稱得上「現代經典」的書籍。

二、選書的目的主要是向其他地區的讀書人推薦本國、本地區人文領域的精品書籍，同時讓各自國家或地區的年輕讀者也能繼續閱讀並繼承這些精神遺產。

三、選書的時限以過去六十年為主，但考慮到各國家或地區的現代史及出版史的不同情況，具體情況則由各國家或地區自主裁定。整體上來說，仍以能體現各國家或地區人文書籍發展的大致脈絡和發展方向為方針。

四、不把所謂的「古典」列入選書計畫。當然，根據上述條件，研究和解釋古典的書籍當在備選之列。不僅是對本國古典的研究闡釋，各國對東亞共同的古典或西歐古典的研究和解釋仍是人文學科持續的課題，也與各地區的現代知識課題深深相關。

五、由於收入的是廣義上的人文書籍，原則上本套叢書不做學科領域的限定。但某些特定的文學、藝術領域（詩歌、小說、戲曲）的作品暫不列入本次的選書計畫。這並不是說這些領域的作品沒有回應知識界的課題，而是因為某種程度上也要考慮相互翻譯的現實狀況與可能性。本次選書將重點放在翻譯業績顯著不足的東亞人文書籍上，但那些以深厚人文精神做支撐的批評性文章當然也在入選之列。

六、由各國家或地區推薦的是否是大部頭的圖書，本會議原則上不予過問。但在翻譯出版的可能性上會加以慎重考慮。由於理想的現代人文書籍應以較高的「專業學術性」為前提，也為了提高相互翻譯出版的品質，本叢書選擇專業學術價值較高的人文書籍並積極推動相互翻譯。

基於以上原則，東亞出版人會議在各國家或地區經過多種方式的篩選之後，在二〇〇九年一月於日本東京、四月於中國麗江的會議上進行了認真討論，最終於二〇〇九年十月在韓國全州舉行的第九次會議上確定了「當代東亞人文經典100」叢書一〇〇種入選圖書的書目。

我們衷心期待通過這一〇〇種人文書籍的相互翻譯出版，能為東亞的讀書人帶來閱讀的愉悅，並受到讀者歡迎，也期待通過共同領略這些書籍中體現的東亞人文知識和人文精神的博大精深，使這套叢書成為理想的文化交流的一個契機。

當代東亞心靈

林載爵（聯經出版公司發行人）

近代以來，東亞地區經歷了「中華帝國」、「西方勢力」、「日本殖民」、「美國霸權」四個先後被宰制的時期。中華帝國通過勢力建立了他的「華夷秩序」，藉由儒學與漢字建立了漢字文化圈與儒家思想圈，儒學典籍成為東亞地區的共同思想資源。十九世紀中，中華帝國衰頹，西方勢力同時進入東亞地區，開啟了東亞結構的質的變化，在向西方學習的共同目標下，日本領先群倫，逐步進行維新改造，取代中華帝國成為東亞之首。這個態勢的轉變發展成為十九世紀末以來，日本向東亞地區的擴張，改變了東亞各地的命運，並與世界戰爭結合，最終則以美國霸權君臨東亞收場。二次世界大戰後的冷戰時期，東亞地區各自分離，結束了長達數百年，「東亞」作為一種群體（community）的狀態。

「東亞」作為一種群體解散之後，東亞地區各個國家積極進行了國族認同的重建工作，這是戰後冷戰時期東亞國家的基調。在認同重建的工程中，集體歷史記憶的挖掘與當代西方思想的引進是各個國家在思想探索上的兩條主線，東亞地區相互之間的思想聯繫因而中斷，彼此各自尋找自己的定位與出路，曾經在東亞文化圈出現過的「讀書共同體」因而消失。

由日本、韓國、中國、香港、台灣五地人文書籍的出版人共同組成的「東亞出版人會議」（East Asia Publishers Conference）於二〇〇五年在東京成立，以促進東亞地區人文書籍的出版交流為目的。二〇〇六年在首爾召開的第三次會議中，「東亞出版人會議」的發起人之一，日本平凡社的退休總編輯龍澤武先生提出了一個概念：到底在東亞社會裡，是否曾出現「讀書共同體」？撇開中國文化傳統思想所不斷強調的東亞漢學、東亞儒家這個大傳統不論，在小傳統中是否曾出現「讀書共同體」，與會成員一致肯定這個共同體是存在過的事實，並且興起重建這個共同體的志向。

龍澤武提出了一個例子驗證在十九世紀之前曾出現的「讀書共同體」：明朝末年宋應星的《天工開物》將中國古代農業技術做了總整理，在當時的中國沒有引起重視，直到日本德川政府引用此書提供的農業生產技術，對德川時代日本農業生產與產業發展發揮極大影響。因此在二十世紀中國要向日本明治維新學習時，才發現《天工開物》在日本的近代改革發展占了極重要的位置，於是在二十世紀初期才又從日本引進到中國來，這是書籍交流上很有趣的例子，也是東亞「讀書共同體」的體現。

從台灣經驗來看，我們還可以再補充第二個例子。一九三六年中國的胡風翻譯了在日本發表的朝鮮與台灣的短篇小說，編成一本選輯：《山靈：台灣、朝鮮短篇小說集》，這是日據時代特別重要的一本書，其中也收錄了楊逵的〈送報伕〉。因為同時遭受日本占領，用日文寫作的朝鮮、台灣的重要作品透過胡風翻譯成中文後，讓中國、朝鮮、台灣、日本四地的抗議思想能夠互相結合、交流，這是一九三〇年代東亞地區非常重要的歷史經驗，若沒有中文譯本讓四地彼此溝通交流，在被佔領的時代要如何去反思被殖民社會中的種種政治、社會、經濟問題？這也是東亞「讀書共同體」存在的另一個事實。

這個「讀書共同體」顯然因為戰爭而完全被摧毀，一九五〇年代冷戰時期，在書籍的傳播上互不往來，交流完全中斷。在這個歷史背景下，「東亞出版人會議」認為應該恢復這個「讀書共同體」。自二〇〇六年以來，「東亞出版人會議」的成員持續在思考一個問題：為什麼我們彼此之間互不了解？以台灣而言，我們不僅對韓國的當代思想完全不了解，對日本近代、當代的思想發展也是所知有限，如此，遑論其他國家對台灣的了解。

經過兩、三年的討論，在二〇〇八年終於擬定了一個具體的計畫，東亞五地的出版人針對一九五〇年代戰後中、日、韓、台、港的重要人文典籍整理出一百本的書單，書單確定後先進行導讀，繼而翻譯，讓各地讀者都能了解各個地區的思想狀況。對出版人而言，透過出版，進行東亞「讀書共同體」的建立是促進東亞地區相互了解彼此思想的最有效方式。

「東亞出版人會議」第五屆會議於二〇〇七年十一月在新竹南園舉行，這次會議的組合正好是三個世代的東亞出版人共聚一堂，這是難得的、珍貴的聚會。作為主人，我在開幕式上做了一段發言，感性的表達了：三個世代、五個地區，七十年的歲月，背後蘊藏的是一段複雜的、互相糾纏的歷史。在座諸位出版人，作為這段歷史的紀錄者、編輯者和出版者，回顧過去，正視現在，必然有著深刻的感想與體會。

第一個世代的出版人，親歷過戰爭與動亂，戰後又必須背負起反省歷史的責任。東亞歷史的記憶，構成他們成為出版人的精神基礎。歷史是身為出版人無法逃避的一張網絡，它鋪蓋在我們的心靈上、思想上，影響到我們該如何思考與行動。

第二個世代的出版人面對的是戰後建立的政治勢力，在韓國、台灣、中國大陸都面臨各自不同的遭遇，然而受到政治壓迫的事實卻是共同的。從一九七〇年代到一九八〇年代，韓國、台灣的青年都逐漸投入實現民主的反抗運動，而中國大陸則陷入文化大革命的災難當中。相對於第一個世代承受歷史的重擔，第二個世代則是對抗政治的高壓統治。韓國政府在一九七〇年代大肆逮捕教授與記者、學生，一些被解職的教授反而轉向出版業，出版人以圖書出版支持反對運動，所出版的有關民主理論的書籍，啟蒙了青年人的思想，為民主運動提供了思想的武器，也開啟了韓國近代出版的新局面。當廣播、報紙等媒體屈服於政府的統治，不能發揮批判的功能時，書籍取而代之，成為最有效的批判工具。韓國在一九八〇年代是書與閱讀的時代，儘管政府繼續禁書、逮捕出版人和作家，但青年讀者透過閱讀，持續開展反抗運動。

同時候的台灣也處於威權統治之下，禁書與逮捕作家同樣發生，反抗運動也從一九七〇年代到一九八〇年代持續進行。作為出版人，我們提供了異議份子發表意見的機會，讓作家批判現實的作品廣泛流傳，譯介了西方的民主理論與當代思潮，為反抗行動提供思想資源。這是知識份子、出版人、作家為了共同目標緊密結合的時代，也是台灣出版史上最具有意義的時代。

具有相同歷史經驗的東亞出版人，興起了重建東亞讀書共同體的共同願望，這本《當代東亞人文經典100》便是走向這個願望的第一步。二〇〇八年在日本京都的第六次會議上確立了六項基本原則後，各地出版人開始進行選定書單的工作。基本上，各地出版人都向各地的學者、作家徵詢了書單的意見，但最後都還是根據各方提供的意見，由各地出版人從出版史的角度作了最終的選擇。

自從戰後東亞出版人失去了聯繫之後，我們再度聚合起來，從瞭解彼此的出版狀況開始，一步一步相互溝通彼此的理念，交換對出版趨勢的觀察，然後決議共同合力進行這個出版工程。

最後，容我再度說明《當代東亞人文經典100》的意義在於：

一、透過這一百冊的規畫與出版，說明東亞讀書共同體的重建是有可能的。

過去幾年我們不斷探討東亞讀書共同體的存在與消失，有感於重建東亞讀書共同體的迫切性，我們期望透過這項出版工程恢復東亞之間圖書的交流，及人文思想的相互傳播。我們更期望透過這一百冊的翻譯與出版，呈現東亞的價值與理念。東亞的價值與理念是一個巨大的課題，它的內涵需要經過不斷的探索、討論。這一百冊將成為東亞文化人、知識份子相互對話的基礎，只有經過論辯，東亞的價值與理念的具體內容才有可能形成。

二、東亞地區經過一個多世紀的動亂後，透過這一百冊重新理解自己的歷史與文化。

《當代東亞人文經典100》涵蓋了歷史、文學、哲學、藝術等各個領域，我們慎重地選擇了各個領域具有代表性的作者及他們的代表性作品，這些作品都曾經產生了重大的影響。他們對古代文明的發展提出新的看法，對古代經典提出了新的觀點，對歷史的演進提出了新的解釋，對古代文明與近代文明的聯繫提出了新的銓釋，對當代的政治、經濟、社會問題提出了深刻的反省與批判。透過這一百冊，每一個地區的文化都展現了嶄新的面貌，東亞各地區的讀者也因此可以經由這一百冊重新認識東亞文明的整體情況，相互之間更進一步的瞭解也因此可以展開。

三、反映東亞地區對西方現代性的接納與回應

一個多世紀來，東亞地區同時陷入西方現代性的挑戰與衝擊，每一個地區的反應不同，命運也不同。但是這一百冊都同時表現了每個地區如何接納現代性？如何思考現代性？如何批判現代性？所謂「東亞的價值與理念」將從這一百冊對西方現代性的思考中建構出來。東亞各個地區的思想家無不在西方現代性的衝擊下投入反思各自文化的工作中，這一百冊正是他們努力苦思的結果，對於東亞文化的未來開展具有無比重大的意義。

這本導論的出版是東亞人文思想交流的開始，期待各方人士給予指教。

目次

台灣

香港

中國大陸

日本

韓國

台灣

東亞人文
100
TW-01

錢穆

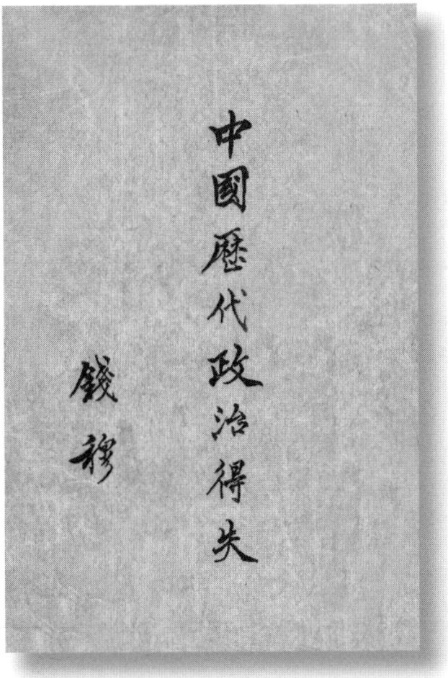

中國歷代政治得失

錢穆於一九四九年從中國大陸移居香港，隔年創辦「新亞書院」，意圖延續中國文化的命脈。一九五二年春接受邀請到台灣以「中國歷代政治得失」為題做一系列的演講，當年八月在台灣完成本書。一九五五年又再加以增訂。

錢穆認為，要研究中國傳統文化，絕不該忽略中國傳統政治。辛亥革命前後，由於革命宣傳，把秦朝以後的政治傳統視為「專制黑暗」，因而加深了對傳統文化的誤解。因此他要重新檢討傳統政治的各個層面，並指出其歷史發展的過程與功能。中國歷史上一切制度，只要已經沿襲到一百年、兩百年的，無不與當時的客觀環境互相配合。絕非出自於一二人的私心，如何可以用「專制黑暗」四字來抹殺？

本書專就漢、唐、宋、明、清五代的政府組織、考試和選舉、賦稅制度、國防與兵役制度，敘述其因革演變，對於傳統政治、傳統文化的許多誤解之處，一一加以具體而明白的說明。他強調人事與制度是分不開的，某一項制度的創設必然因為在當時有種種人事上的需要，而制度也會跟著人事隨時變動。任何一項制度絕不會絕對有利而無弊，也不會絕對有弊而無利。所謂「得失」是根據實際利弊來判定的。此外，任何一項制度絕不是孤立存在，各項制度間，必然是互相配合。要了解政治則必須深入到整個文化史中，因為政治只是全部文化中的一個項目，我們很難孤立抽出「政治」一個項目來討論其意義與效用。

從整個中國歷史與文化的發展來看，他認為中國歷代政治有幾條大趨勢。第一，中央政府有逐步集權的傾向。地方官員逐漸沒有地位，地方政治也就沒有起色，全部政治歸屬到中央，這不是一個好現象。第二，中國歷史上的傳統政治造成了社會各階層逐漸平等，但也造成了讀書人愈來愈多，做官的人也愈來愈多，社會上聰明才智之士都想走做官這條路，工商業也就發達不起來。第三，皇帝的地位和尊嚴逐步上升，政府的權力卻逐步下降，這是中國傳統政治的大毛病。第四，中國的政治制度，相沿日久，逐漸繁密化。制度愈繁密，人才愈被束縛，這就是中國政治無法進步的根源。如何把政治、社會上種種制度簡化，使人才能自由發展，這是中國未來發展最重要的課題。

本書是錢穆畢生著作中影響最為深遠的其中之一，也是了解中國傳統政治基本問題的最重要著作。

《中國歷代政治得失》 **錢穆 著**

自刊本／台北／1952／150×210mm／123頁

【目次】 第一講　漢代／第二講　唐代／第三講　宋代／第四講　明代／第五講　清代／總論

作者簡介

錢穆（Qian Mu, 1895-1990）

自學成功。一九三〇年因發表《劉向歆父子年譜》成名，被聘為燕京大學國文講師。先後於燕京大學、北京大學、清華大學、師範大學、西南聯大等校任教。一九四九年赴香港，一九五〇年創辦新亞書院，擔任院長。曾先後獲香港大學、美國耶魯大學頒贈名譽博士。一九六七年，到台灣定居，一九六八年膺選中央研究院院士。是中國近代國學大師，一生致力於中國歷史與文化、思想的重新詮釋。著作五十餘種，經其學生收集整理，匯聚成《錢賓四先生全集》（一九八八，聯經出版公司），全書分裝三大編，精裝五十四鉅冊，共有一千七百萬字。

（**林載爵撰**）

東亞人文100
TW-02

牟宗三

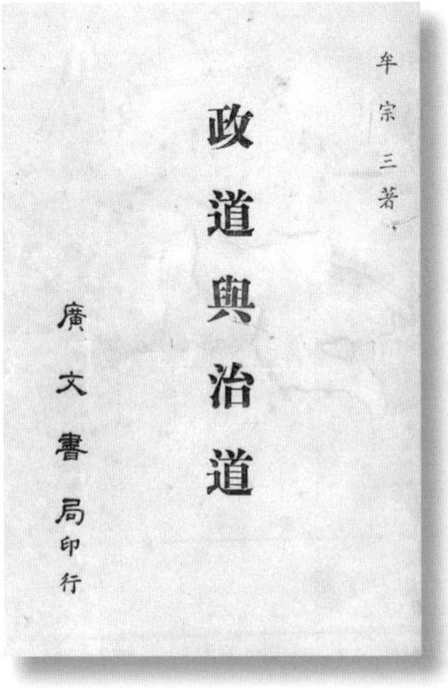

政道與治道

傳統儒家思想如何與現代民主政治結合一直是中國近代思想家最關心的問題。牟宗三在任教於台灣東海大學時，全力思考這個問題的本源，並指出未來發展的可能性與方向。一九六〇年夏天他完成了《政道與治道》的寫作，於一九六一年出版，為這個問題提出了他完整的觀點。

他在這本書中，綜合參照東西方思想文化各自的特性以及發展軌跡，討論了中國文化中，政道不立，事功萎縮，科學知識停滯的原因，並釐清孔孟思想中，內聖與外王的內涵與相互間的衝突，同時引申到對中國現代化以及科學、民主發展的影響。

所謂政道就是關於政權的道理。人類的政道大體可以分為封建貴族政治、君主專制政治和立憲的民主政治三種政道。所謂治道就是治理天下之道，或處理人間共同事務之道。政道是相應於政權而言，治道是相應於治權而言。中國傳統政治在治道上已發展到相當高的境界，而政道則始終毫無辦法。關鍵因素在於，傳統中國帝王是將天下據為己有，天下是一家一姓的天下，而政道的本質在於「天下者乃天下人之天下」，也就是政權與治權分開的民主政治，因此中國只有治道而無政道。人類為民主政治奮鬥，就是要實現政道，恢復政權的本性。真正的民主政治是經由「政權的民主」表現出來的，唯有政權民主，治權的民主才能獲得真正的保障。傳統中國由於沒有政權的民主，治權的民主能否實現就決定於有否聖君賢相，其結果就是「人存政舉，人亡政息。」

另外一個互相關聯的問題是「內聖外王」。儒家的原始思想是講「內聖外王」並重，但宋明理學卻特別強調「內聖」這一面。「內聖」用現代的話來說，就是內在於每一個人，都要通過道德的實踐做聖賢的功夫。道德實踐的目標就是要建立自己的道德人格、道德人品。儒家原來還有「外王」的一面，就是落實在政治上行王道之事，是一種追求事功的表現。「內聖外王」原是儒家的整體理念，但宋明理學家偏重於「內聖」一面，於是「外王」的精神弘揚不夠，宋明以後延續這個偏差，導致整個中國文化的「外王」不足。

中國的傳統風氣，尤其是知識分子，不欣賞事功精神。事功精神就是平庸、老實，做事仔細精密，步步紮實，也是商人的精神，敬業樂群。我們必須從儒家的立場來正視事功精神的萎縮，儒家最高的境界是聖賢，聖賢是通過一步步老老實實地做道德實踐、道德修養的功夫而達到的。因此這個時代要求我們推展「新外王」，民主政治是新外王的第一義，另一面則是科學。科學知識是「新外王」的基本條件，但必須放在民主政治之下，這個基本條件才能實現。

《政道與治道》　牟宗三　著

廣文書局／台北／1961／150×220mm／269頁

【目次】第一章　政道與治道／第二章　論中國的治道／第三章　理性之運用表現與架構表現／第四章　論政治神話之根源／第五章　論政治神話之形成／第六章　論政治神話與命運及預言／第七章　政治如何能從神話轉為理性的／第八章　理性之內容的表現與外延的表現／第九章　社會世界實體性的律則與政治世界規約性的律則／第十章　道德判斷與歷史判斷

作者簡介

牟宗三（Mou Zong San, 1909-1995）

現代新儒家的重要代表人物之一，專研中國哲學與康德思想。一九四九年之前在大學講授邏輯學和西方哲學。一九四九年到台灣，任教於東海大學，講授中國哲學等課程。一九五八年與唐君毅、徐復觀、張君勱聯名發表現代新儒家的宣言性文章〈為中國文化敬告世界人士宣言〉。一九六〇年任教於香港大學、香港中文大學新亞書院，主講中國哲學、康德哲學等。一九九五年四月病逝於台北。主要著作有《理性的理想主義》、《道德的理想主義》、《歷史哲學》、《佛性與般若》、《才性與玄理》等二十八部。其中《政道與治道》、《歷史哲學》與《道德的理想主義》被合稱為「新外王」三書。並翻譯《康德的道德哲學》、《康德純粹理性之批判》、《康德判斷力之批判》等三部譯作。二〇〇三年出版《牟宗三全集》（三十三冊，聯經出版公司）。

（林載爵撰）

東亞人文
100
TW-03

殷海光

中國文化的展望

一九五〇年代以後的台灣思想家和知識分子最關心的課題是中國文化的未來前途，到了一九六〇年代並產生中國文化本位、中西文化折衷主義和全盤西化等三種不同立場的激烈辯論。殷海光的《中國文化的展望》在這種思想背景下出版具有特別的意義。

本書是殷海光晚年最重要的著作，學術界稱之為「討論中國文化問題的一個新的里程碑」。殷海光首先認為「中國自第十四世紀中葉至第二十世紀初葉，一直是在傳統之中生活著。文化的變遷相當緩慢，在這一階段，中國文化逐漸形成了一個自定體系（homeostatic system）」。然而這個體系在近代西方勢力的進逼下被打碎了。

他採用近代文化人類學家的一些概念來說明什麼是文化，以及文化的形態和演化，以此作為基礎討論中國社會文化的激變。這個激變包括：傳統家庭的小家庭化、孔制的崩潰和鴉片戰爭、義和團運動及五四運動一路發展下來的「本土運動」，也就是因應外來文化衝擊而引起的重整反應。他接著討論近代中國保守主義的困境和自由主義在左右夾擊下所遭遇的挫折和衰弱無力。

對於「全盤西化論」，他提出有否必要與有否可能兩個質疑，他說，主張「全盤西化」的人士不明瞭文化的變遷是不可能一蹴而就的。對於「中體西用」說，他的批評是，「體」與「用」之分根本不能成立。對於現代化的問題，他認為有器用、制度與思想三個現代化的面向。科學與技術是走向現代化的主要道路，但在不適於科學發展的社會文化環境裡，科學不易產生果實。因此，中國未來的發展必須以民主與自由為依歸。

殷海光以當時科際整合的新知識和現代社會科學的新概念，論述中國近百年來對西方文化衝擊的反應，嘗試為中國歷史文化的近代變遷，提出宏觀視野的系統解釋，藉此思索中國文化的前景。本書不僅是殷海光對「中西文化論爭」這個問題的回應與解析，還全面展現了他的文化觀，具體反映當代自由主義者的主張。在這部書裡，他最後呼籲「道德的重建」，進行東西道德的整合，以自由、平等、幸福、友善、正義、合作，尊重個人的生命與尊嚴為追求目標。他更鼓舞知識分子無畏威權，扛起責任，為建立重道德、有自由、行民主的「開放社會」而努力，如此人生才有意義和價值。

中國文化的展望　殷海光　著

活泉書店／台北／1966／150×210mm／686頁／2冊

【目次】　序言／第一章　天朝模型的世界觀／第二章　什麼是文化？／第三章　文化的重要觀念／第四章　近代中國文化的基線／第五章　中國社會文化的激變／第六章　一個長久的論爭／第七章　保守的趨向及其批評／第八章　自由主義的趨向／第九章　西化的主張／第十章　中體西用說／第十一章　現代化的問題／第十二章　民主與自由／第十三章　世界的風暴／第十四章　道德的重建／第十五章　知識分子的責任

作者簡介

殷海光（Yin Hai Guang, 1919-1969）

早年求學於西南聯大哲學系、清華大學哲學研究所。一九四九年到台灣後於台灣大學哲學系任教。他是一九五〇至一九六〇年代台灣最有影響力的知識分子，深受羅素、海耶克、波柏等哲學大師的影響，所寫文章以科學方法、個人主義、民主自由為基準，極力宣揚反抗權威、追求思想自由，被推崇為「台灣自由主義思想的領袖」，為台灣自由主義的啟蒙者。代表著作：《海耶克和他的思想》、《思想與方法》、《邏輯新引》、《怎樣判別是非》、《中國文化的展望》等。《殷海光全集》最初出版於一九八九年，台灣大學出版中心於二〇〇九年又重新增訂出版。

（林載爵撰）

東亞人文100

TW-04

徐復觀

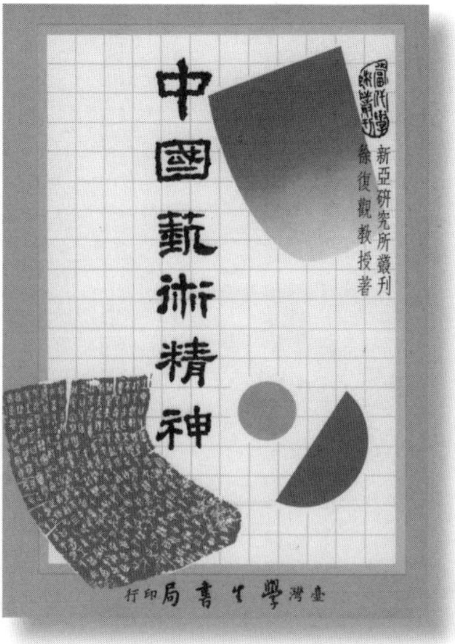

中國藝術精神

近代以來，中國藝術思想的探索受到極大的忽視。徐復觀卻認為，在中國文化中由於挖掘出藝術的根源，把握到精神自由解放的關鍵，因而在繪畫方面，產生了許多偉大的畫家和作品。中國文化在這一方面的成就具有非常重要的歷史意義。但從明、清以來，因為知識分子長期在八股制度下的墮落，使這一方面的成就漸漸庸俗化，以致和整個文化脫節。或者，因為過分重視筆墨趣味，而忽視作品中所表現的人生意境。徐復觀寫作這本書的目的就是要重新顯現這方面的本來面目，讓中國藝術精神匯合在整個文化巨流中，使大家知道在人類文化的三大支柱：道德、藝術、科學中，中國文化具備了道德、藝術兩大支柱。

中國文化中的藝術精神，窮就到底，只有由孔子和莊子所顯現出來的兩個典型。由孔子所顯現出來的是仁與音樂合一的典型，這是道德與藝術的終極統一，是最高的標準。由莊子所顯現出來的典型是徹底的藝術精神的性格，主要是表現在繪畫上面。莊子的所謂道，落實在人生上面，是崇高的藝術精神，他所把握到的心，其實就是藝術精神的主體。由老子、莊子所演變出來的魏晉玄學，其真實內容就是藝術性的生活和藝術上的成就。歷史上的大畫家、大畫論家，他們所達到，所把握到的精神境界，都是莊子與玄學的境界。宋以後所謂禪對畫的影響，其實是莊子、玄學的影響。所謂「玄」，指的是某種心靈狀態、精神狀態，中國藝術中的繪畫，是在這種心靈狀態中產生的。

從繪畫史來看，中國由彩陶時代一直到春秋時代，是長期的抽象畫。戰國時代開始有了寫實的精神和作品，但因秦漢時期陰陽五行及神仙方士的影響太大，寫實的路線沒有好好發展。到了魏晉時代，因玄學的力量，產生了藝術的真正自覺。之後，中國的繪畫始終是在主客交融、主客合一中前進，其中有寫實的意味，也有抽象的意味，但卻不是一般人所比附的寫實主義、抽象主義。

《中國藝術精神》共分十章，從孔子的藝術精神、莊子的藝術精神主體開始，討論繪畫藝術及其所蘊涵的中國藝術精神，是美學理論與歷史考據互相結合的成果，也是近代談論中國藝術精神最重要的一本著作。本書和《兩漢思想史》被認為是任何有志了解中國思想史的人必讀的經典。

《中國藝術精神》　徐復觀　著

臺灣學生書局／台北／1966／150×210mm／583頁

作者簡介

徐復觀（Xu, Fu Guan, 1903-1982）

從啟蒙到二十四歲，潛心閱讀中國經典，奠定國學基礎。後東渡日本，相繼就學於明治大學和陸軍士官學校。回到中國後進入軍中任職，一九四九年到台灣後，棄武從文，精研儒學，先後任教於台中農學院、東海大學、香港中文大學。一九四九年於香港創辦著名自由主義刊物《民主評論》。著作有《中國人性論史》、《中國藝術精神》、《兩漢思想史》、《中國思想史論集》、《中國文學精神》、《在政治與學術之間》、《公孫龍講疏》等。是新儒學的重要人物，對中國文化和藝術具有許多獨到的見解。

（林載爵撰）

葉榮鐘

日據下台灣政治社會運動史

日本統治台灣五十年（一八九五—一九四五），這段時期台灣民眾所進行的政治、社會運動是台灣歷史中非常重要的一部分。殖民地的解放運動大都由海外發動，再延伸到殖民地本身，台灣也不例外，台灣近代的民族運動也是由東京的台灣留學生推展，再拓展到台灣本島。一九一四年，日本明治維新的元勳板垣退助到台灣發起「同化會」，呼籲在台日人必須尊重人權，善待台灣人，保護台灣人的生命財產。雖然旋即被台灣總督府命令解散，但是以此為機緣促成了台灣民眾與東京留學生攜手合作，成立「新民會」，展開對一八九六年公布之六三號法案：「關於施行台灣之法律」的撤廢運動。這項法案是總督專制之所本，也是一切惡法之所由來。六三法案撤廢運動是台灣人自主的，根據近代政治理念所發動的政治運動，也是台灣人反抗意識的萌芽。

台灣近代的民族運動，起源於一九一四年私立台中中學的創設。由台灣士紳集資創立的這所中學，代表著台灣知識階層對日本統治者教育歧視的抗議。一九二一年，同一批士紳鑑於要求「台灣完全自治」之不可能，決定以設置「台灣議會」為共同目標。他們共進行了十五次的請願，至一九三四年才停止。為時二十年。

一九二〇年代是台灣政治社會運動的最高峰。繼「台灣議會設置請願運動」後，一九二一年十月又成立了「台灣文化協會」，以「助長台灣文化之發達為目的」。舉辦講習會、夏季學校、演講會，傳播知識與近代思想。文化協會所推動的文化運動，激發了民族意識的興起，達到了思想啟蒙的效果，也促進了農民、工人的覺醒。隨著局勢的發展和社會矛盾的加深，一九二六年，文化協會因左右思想的對立而分裂。

主張民族運動的人士很快在一九二七年成立「台灣民眾黨」，是第一個台灣人組成的政黨，要求集會、結社、出版的自由，主張政治、社會、經濟制度的改革。一九三一年被總督府以「結社禁止命令」解散集會。在這四年中，並有一九三〇年「台灣地方自治聯盟」的成立，以完成地方自治制度為單一目標，島內思想對立的情況更為激烈。與此同時，農民運動也展開了。農民是日本糖業帝國主義榨取的對象，生活困苦，一九二五年「台灣農民組合」成立，但是到了一九二七年，因為核心幹部均被逮捕，轉入地下活動。

作者親身參與上述各項政治社會運動，將他自己那一輩人所親歷的抵抗日本殖民統治，爭取自由的解放運動記錄下來，完成了這部著作，是最完整的日本統治時代台灣人的政治社會運動史。

《日據下台灣政治社會運動史》　葉榮鐘　著

原書名：《台灣民族運動史》，自立晚報社／台北／1971／150×210mm／576頁／初版

晨星出版社／台中／2000／160×220mm／397頁／修訂版

作者簡介

葉榮鐘（Ye, Rong Zong, 1900-1978）

年輕時即參與台灣議會設置請願運動，並追隨林獻堂參加抗日民族運動。一九三〇年日本東京中央大學政治經濟系畢業。一九三二年創辦《南音》雜誌。曾任林獻堂私人祕書、台灣地方自治聯盟書記長、《台灣新民報》通信部長。戰後於一九四六年主持省立台中圖書館工作，並參加「台灣光復致敬團」赴上海、南京、西安各地。一九六六年退休後專注台灣近代民族運動史的撰述。著作有《台灣人物群像》、《台灣民族運動史》、《半路出家集》、《小屋大車集》、《少奇吟草》、《彰化銀行六十年》等。《葉榮鐘全集》（十二冊，晨星出版社）於二〇〇二年出版。

（林載爵撰）

東亞人文100
TW-06

李亦園

楊國樞

中央研究院民族學研究所
專刊乙種第四號

中國人的性格

科際綜合性的討論

李亦園
楊國樞 編

中華民國六十二年六月再版
臺北 南港

223638

中國人的性格

科際綜合性的討論

第二次世界大戰後，以國家為單位的國民性（national character）研究有了快速的發展。所謂國民性指的是一種「集團人格」（group personality），或是「基本人格結構」（basic personality structure）。台灣在一九六〇年代引進了行為科學的概念，並提倡社會科學科際整合的研究方法。一群不同學科的學者終於在一九七〇年聚集在一起，嘗試以這個新方法來研究中國的國民性。

本書以人類學、民俗學、心理學等社會科學為主，輔以量化的方法論，探討中國人的國民性或民族性，剖析中國人的理想性格及過去與現在的差異，以及個人與社會、家族的互動關係。從兒童養育、儀式行為、價值觀變遷看性格的塑造。並抽樣研究大學生、農民等的人生觀、價值觀與性格角色。

參與討論的學者包含心理學、人類學、社會學、歷史學、哲學、精神醫學等不同學門的學者。涵蓋主題包括：中國理想人格的分析、恥感取向、價值取向與國民性、家族主義與國民性格、儀式行為與國民性、親子關係、大學生的人生觀、農民性格的蛻變等。

根據這些綜合研究，中國人的國民性可以嘗試歸納如下：第一，數千年的傳統使中國人把家族視為最高價值。這一心理狀態到了一九六〇年代仍然發生力量，缺乏個性、愛家庭、愛小孩等都是它的表現。第二，中國人比較傾向全面性、直觀性的思考方式，這一思考方式比較不邏輯，但中國人運用這一資本，對人對事都能迅速理解。第三，中國人有持久和充沛的活力，勤奮、謹慎而有耐心。第四，中國人對周遭的人之認可與否極其敏感，極怕失面子，極愛榮譽。第五，可能由於太敏感，中國人習於控制自發的衝動，而與他人保持距離。中國人傾向於間接的情感表現方式。第六，中國人比較愛好靜的生活情調。這點表現於享受現成事物、安分守己、樂天知命。有時也會怯懦（多一事不如少一事）、懶惰等現象，中國人不講究清潔即其一例。第七，中國大學生的「權威態度」，遠遠超過美國大學生之上。中國一般人民的「權威態度」則更有過之而無不及。中國人的保守、退縮、疑忌、彼此不信任等情形，大約與「權威態度」有關。第八，中國人有大國與悠久歷史的深厚意識，有時不免傲慢而輕視外人。

本書是第一本利用西方社會科學的整合方法來研究中國人性格的著作，從行為科學的觀點探討中國人的性格與行為。台灣學術界對於「社會及行為科學研究的中國化」的反省與推動，是以本書的出版作為開端。

《中國人的性格：科際綜合性的討論》　李亦園、楊國樞　主編

中央研究院民族學研究所／台北／1972／150×220mm／466頁

中農民性格之蛻變／瞿海源、楊國樞　中國大學生現代化程度與心理需要的關係／項退結　中國國民性研究及若干方法問題

編者簡介

李亦園（Li, Yi Yuan, 1931-）——

台灣大學人類學系畢業，一九六〇年，美國哈佛大學人類學系碩士。後任職於中央研究院民族學研究所，一九八四年創建國立清華大學人文社會學院，並擔任院長。研究領域包括文化理論、家族組織、比較宗教、儀式象徵、神話傳說等，著作有專書十八種。一九八四年獲選為中央研究院院士。

楊國樞（Yang, Go Shu, 1932-）——

台灣大學心理學系畢業，美國伊利諾大學碩士和哲學博士。中央研究院院士。專長是人格及社會心理學，並在跨文化心理學領域內有傑出表現。著作有專書二十餘種。他在中國人的性格及其變遷方面所發展的理論有相當大的成就。

（林載爵撰）

東亞人文100

TW-07

唐君毅

說中華民族之花果飄零

在唐君毅看來，一九五〇年代的後期，中國文化正處於危機狀態之中。華僑在東南亞各地的政治社會地位，正處處遭受史無前例的打擊，從菲律賓、印尼、越南，直到馬來西亞、新加坡、緬甸的當地政府及本地民族，無不在政治上、社會上、經濟上及教育上用種種方法，壓抑當地的華僑社會，華文教育也處處受到限制與摧殘。而台灣與香港的青年則設法移居美國或較文明的國家。如此下去，所謂華僑社會將全部解體。這表示中國社會政治、中國文化與中國人心，「已失去凝攝自固的力量，如一園中大樹之崩倒，而花果飄零，遂隨風吹散，⋯⋯此不能不說是華夏子孫之大悲劇。」

因此他申論保守的意義與價值。所謂保守，就是人只有對其生命所依附的歷史與文化，有一深度的自覺，才能使他的生命存在的意義和價值有所依據。然後因為這種自覺而發現、認識、反省人之據以存在的一切事物的價值，也就是堅守中國文化的價值。中國文化雖處於絕望之境，但他相信，人由絕望之境的痛苦感受中，可以直接湧出希望與信心，並由信心，產生願力。這種信心與願力就是「創造性的理想與意志」，經由「創造性的理想與意志」達到文化的道德理想，歸結於理想主義、人文主義與理性主義。

唐君毅是新儒家代表人物之一。他以沉痛的心情，針對中國人失卻文化主體性、否定自我價值等現象發出警語，期盼能在求新求變的思潮裡，與傳承智慧的保守中尋找中國文化未來發展之路，打破忘本求外的迷思，重建民族自信心。

本書中「中國文化與世界」一文是一九五八年新儒家代表牟宗三、徐復觀、張君勱與唐君毅四人對西方人士的共同宣言，文中釐清了西方人士對中國文化與學術的誤解，並藉此傳達對中國傳統文化所應有的正確認識。這篇宣言的發表同樣也是在「花果飄零」的危機感中產生的。

文中首先呼籲，中外研究中國學術文化的人士，必須肯定承認中國文化仍然是有生命的存在，而非已經死亡的文化。研究中國的歷史、文化與學術，要把它視作中國民族之客觀的精神生命的表現，這個精神生命的核心在中國人的思想或哲學之中。中國的哲學思想有其文化體系，也有一脈相傳的道統，不能用了解西方哲學的態度來了解。也不能以為中國人只知重視倫理道德，以維持政治社會秩序，而需注意天人合一思想，及從事道德實踐時對道之宗教性的信仰。此外，心性之學是中國學術思想的核心，也是中國思想中所以有天人合一之說的真正原因，不了解中國的心性之學，也就不了解中國文化。中國文化與民主制度的建立、科學發展的追求也不違背。最後指出，西方人有應向東方文化學習的地方，如「當下即是」的精神與「一切放下」的胸懷、圓而神的智慧、溫潤的悲憫之情、如何使文化悠久的智慧、天下一家的情懷。

《說中華民族之花果飄零》　唐君毅　著

三民書局／台北／1974／150×190mm／192頁

【目次】說中華民族之花果飄零／花果飄零及靈根自植／海外中華兒女之發心／海外中國知識分子對當前時代之態度／海外知識分子對當前時代態度答問／附錄　中國文化與世界

作者簡介

唐君毅（Tang, Jun Yi, 1909-1978）

任教於香港新亞書院、香港中文大學，一九七四年自中文大學退休後，繼續擔任新亞研究所所長，是當代新儒家代表人物之一。一生以闡釋儒家學說的合理性及其思想價值為己任，以現代的觀點指出儒家思想對中國文化與社會的意義。其著述尤其著重中國思想史中的人文主義以及道德自我的自立。主要著作有：《中國人文精神之發展》、《道德自我之建立》、《人文精神之重建》、《中國文化之精神與價值》、《中國哲學原論》等。

（林載爵撰）

東亞
人文
100
TW-08

余英時

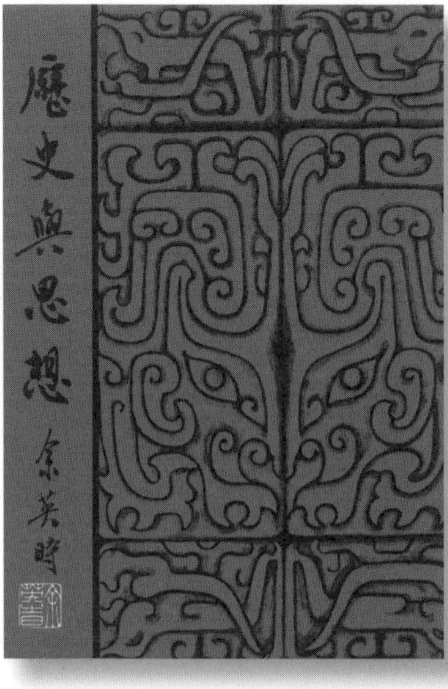

歷史與思想

本書收入了余英時自一九五六至一九七六年所撰寫的十七篇通論性文章，以歷史與思想為範圍，針對思想史的發展，提出通論性的觀點和明確的歷史觀察。主要論題可分為下列六項：一、討論中國專制政治傳統的本質及與反智論的關係，二、從內在理路的觀點解釋明清思想變遷的過程，三、討論歷史知識的性質及有關史學的一般問題，四、對《紅樓夢》這部小說提出新的看法，並檢討紅學考證運動的得失，五、探討西方古典時代的人文思潮，六、文藝復興與人文思潮的關係，以及現代工業文明的精神基礎。

就歷史與思想的關係而言，他沒辦法接受任何一種形式的歷史決定論，在歷史的進程中，思想的積極作用是不能抹煞的。思想一方面固然是在決定論的基礎上活動，另一方面也具有突破決定論的限制的潛能，我們可以說，思想創造歷史。正由於思想可以創造歷史，並且也一直是歷史進程中的一股重要的原動力，所以人對於歷史必須負責。強調歷史上的思想因素以柯靈烏（R. G. Collingwood）為現代最重要的代表。柯靈烏把歷史事件分為「內在」與「外在」兩面。「外在」的是史事的物質狀態，「內在」的是史事中人物的思想狀態，史家只有深入史事的「內在」面才能把握到歷史的真相。同樣的，蘭克（Leopold von Ranke）也絕不承認史學只是事實的收集，也不主張在歷史中尋求規律。相反的，他認為歷史的動力是「理念」（Ideas）或「精神實質」（spiritual substances）。

本書最突破性的看法是提出宋明儒學到清代思想之間內在理路（inner logic）的轉折過程，並且為清代思想史提出一個新解釋。余英時認為必須把思想史本身看做有生命的、有傳統的，這個生命與傳統的成長並不是完全仰賴於外在刺激。宋明理學中本來就存在著智識主義（Intellectualism）與反智識主義（Anti-intellectualism）的對立，也就是「尊德性」與「道問學」的分別。從近世儒學的發展上來看，宋代同時包含了「尊德性」與「道問學」，明代是另一個階段，在心性之學上有突出的貢獻，把「尊德性」領域內的各種境界開拓到了盡頭。王陽明學說的出現把儒學內部反智識主義的傾向推到極致。但是義理的是非終究必須取決於經典的原意，看看誰的話是真正合乎聖賢的本意，這就要走上清代儒者訓估考證的路上去了。清代學者說明代學術空疏，正是從這方面來說的。從思想史的角度看，它是明代儒學在反智識主義發展到最高峰時期開始向智識主義轉變的表示。所以清代的學術不是宋明理學的反命題，而是近世儒學復興中的第三個階段，主要的工作是儒家經典的全面整理和觀念還原。這種思想發展的內在理路觀點，徹底推翻了外部因素說，為思想史的研究開闢了一條新途徑，至今仍是研究中國思想史的必讀著作。

《歷史與思想》　余英時　著

聯經出版公司／台北／1976／150×210mm／496頁

【目次】反智論與中國政治傳統／「君尊臣卑」下的君權與相權／唐、宋、明三帝老子注中的治術發微／從宋明儒學的發展論清代思想史／清代思想史的一個新解釋／略論清代儒學的新動向／章實齋與柯靈烏的歷史思想／一個人文主義的歷史觀／史學、史家與時代／關於中國歷史特質的一些看法／西方古典時代之人文思想／文藝復興與人文思潮／工業文明之精神基礎／近代紅學的發展與紅學革命／紅樓夢的兩個世界／關於紅樓夢的作品和思想問題／陳寅恪先生「論再生緣」書後

作者簡介

余英時（Yu, Ying Shih, 1930-）

美國哈佛大學博士。曾任密西根大學、哈佛大學、耶魯大學教授、香港新亞書院院長兼中文大學副校長，普林斯頓大學講座教授，也是中央研究院院士。一生致力於中國歷史與文化的研究。二〇〇六年獲得美國國會圖書館克魯格人文與社會科學終身成就獎（Kluge Prize Rewards Lifetime Achievement）。主要著作有《歷史與思想》、《紅樓夢的兩個世界》、《中國知識階層史論：古代篇》、《中國近世宗教倫理與商人精神》、《中國思想傳統的現代詮釋》、《陳寅恪晚年詩文釋證》、《朱熹的歷史世界》、《宋明理學與政治文化》、《漢代貿易與擴張》、《東漢生死觀》、《人文與理性的中國》等四十餘冊。

（林載爵撰）

東亞人文100
TW-09

方東美

中國哲學之精神及其發展

方東美無論在研究的主題上或講學的題材上，都結合東方與西方。就東方而言，涵蓋了中國與印度，就西方而言，兼治古希臘與近代歐洲，共四大傳統。但晚年專開「中國哲學之精神及其發展」講座，並著手以英文撰寫專書。

方東美闡發中國哲學的精神，是以整體的西方哲學為對照，在中西交融的世界哲學背景下，對中國哲學做整體的透視。中國哲學精神，在方東美看來，必須經由形而上學的途徑來觀照才能彰顯出來。他從形而上學的層面來把握中西哲學的精神，並從中西形而上學的比較中將中國哲學界定為「內在超越」形態。他認為，中國哲學的根本精神就在於圓融和諧的精神。他以此作為對西方「二元對立」思想的超越。同時，他將原始儒家、原始道家、大乘佛學和新儒家看做中國哲學精神的共同代表。

全書除導論外共分為四部分。他認為中國各家哲學體系同時具備三大通性與特點，一是旁通統貫，也就是統合萬有，而一以貫之。二是殊異之道，也就是「道」這一詞，意涵豐富，但含義各有不同。三是人格超升，也就是認為人的品格發展均可步步上升，達到崇高的理想境界。中國哲人代表一種「詩人、聖賢、先知」三重複合的理想人格典型。但分別來看，又各有不同的風貌，各有千秋。道家陶醉詩意幻境，故以詩人身分出現。儒家彰顯聖者氣象，故以聖賢的身分出現。佛家則苦心謀求人類精神的內省，故以先知的身分出現。人類主要的目標，對儒家來說，是道德的修養，對道家來說，是藝術的超脫，對佛家來說，是宗教的淨化。

第一部分談儒家哲學的體系。為了探討中國上古哲學思想的源起，尤其是原始儒家，他特別注重

《尚書》「洪範」篇與《周易》。理性精神的自覺與高度倫理文化的建立，導致初期原始儒家的形成。而《周易》所呈現出來的注重「時間與變易」，終而復始，相續不已的無窮創造力，更是儒家思想的中心論旨。

第二部分談道家老莊哲學的體系，討論了老子與莊子的思想體系，及道家思想對儒家般若哲學的影響。道家精神自由的追求與佛家圓滿自足的立場，有其相通之處。第三部分談中華大乘佛學的體系，藉著三論、天臺、法相與唯識、華嚴四個宗派的思想，闡揚大乘佛學的精神。第四部分談新儒家哲學的體系，旨在說明自北宋以迄清代中期新儒家哲學的要義。他將新儒學分為唯實主義、唯心主義與自然主義三派，三派理路雖然不同，但其基本理念，仍以孔子、孟子、荀子的古典傳承為主旨。

《中國哲學之精神及其發展》　方東美　著

英文版／聯經出版公司／台北／1981／170mm×240mm／568頁
中譯版（上）／成均出版社／台北／1984／150×210mm／293頁
全譯版／黎明文化公司／台北／2004／150×210mm／487頁＋299頁

系　第四章　老子體系／第五章　莊子體系／第六章　道家對般若哲學之影響／第三部分　佛學之全幅發展　第七章　緒論／第八章　三論宗之體系／第九章　天臺宗之體系／第十章　法相與唯識宗之體系／第十一章華嚴宗之體系／第四部分　新儒家哲學之體系　第十二章　概述／第十三章　新儒家哲學：唯實主義型態（甲式）／第十四章　新儒家哲學：唯實主義型態（乙式）／第十五章　新儒家哲學：唯實主義型態（丙式）／第十六章　新儒家哲學：唯心主義型態／第十七章　新儒家哲學：自然主義型態

作者簡介

方東美（Fang, Dong Mei, 1899-1977）

一九二一年赴美留學。以〈柏格森生命哲學之評述〉獲威斯康辛大學碩士。一九二四年以論文〈英美新唯實論之比較研究〉獲威斯康辛大學博士。一九二九年起擔任中央大學哲學教授。一九四七年到台灣，任教於台灣大學哲學系。一九五九年赴美訪問講學，到處演講中國哲學。一九六四年，密西根大學聘為客座教授。晚年致力於建立「新儒學」體系。著有《生生之德：英文哲學論文集》、《哲學三慧》等。《方東美全集》（黎明文化公司，十三冊）於二〇〇四年出版。

（**林載爵撰**）

東亞人文100
TW-10

張光直

中國青銅時代

中國青銅時代便是歷史上的夏商周三代，從公元前二〇〇〇年以前一直持續到公元前五〇〇年以後，也就是到春秋戰國之交為止。這個時期在物質文化上都以青銅禮樂器與兵器為顯著的特徵。這是著名的考古人類學家張光直所提出來的創見。

張光直認為，三代考古學所指明的古代中國文明發達史，不是像過去所相信的那樣，是一種「孤島式」的形態，即夏商周三代前後形成一種長條的文明史，像孤島一樣被蠻夷所包圍的一種模式。現代三代考古所呈現的文明進展方式是「平行並進式」，也就是從新石器時代晚期以來，華北華中有許多國家形成，他們的發展不但是平行的，而且是互相衝擊、互相刺激，彼此相互促進發展的。

夏代、商代與周代這三個名詞，各有兩種不同的意義。一是時代，即約公元前二二〇〇至一七五〇年為夏代，一七五〇至一一〇〇年為商代，一一〇〇至二五〇年為周代。二是朝代，即在這三個時代中夏的王室在夏代為華北諸國之長，商的王室在商代為華北諸國之長，而周的王室在周代為華北諸國之長。但夏商周又是三個政治集團，或稱三個國家。這三個國家之間的關係是平行的，在夏商周三代中夏商周三個國可能都同時存在。

換句話說，商是夏代列國之一，周是商代列國之一。夏商周三代的關係，不僅是前後的朝代繼承關係，而且一直是同時並存的列國之間的關係，而朝代的更替只代表三國之間勢力強弱的浮沉而已。在夏代，以河南西北和山西西南為中心的夏王國顯然站在統治階梯的最上層。到了商代，從山東境內黃河下游平原崛起的商王國則是最高統治者。而到了周代的前半期，從陝西渭水中下游來的周王國又成為最有力量的。三代的政治與儀式的中心不斷變動，但根據現有文獻與考古證據來看，三個朝代都以一個共同的中國文明為特徵。

這個中國文明以青銅器作為共同的文化因素。中國青銅時代的青銅器可以從幾個不同的角度來了解。我們可以從美術的角度來欣賞，也可以從飲食和儀式的活動來理解。我們可以從青銅器來看社會的階層，也可以觀察財富和權力的分配。

本書所收的十三篇論文，從各種不同角度看中國青銅時代的文化與社會，說明這個時代文化與社會各個方面之間的聯繫與其發展變化的因果關係，並且從這種觀點上說明青銅器的重要性，解釋為什麼青銅器能夠作為一個古史時代的代表。這些文章同時有系統的討論了中國青銅時代文化社會的各個方面，從飲食到政治、經濟、親族制度到宗教、神話和美術，並且提出了作者獨特的看法。

《中國青銅時代》 張光直 著

聯經出版公司／台北／1983／150×210mm／387頁

【目次】

作者簡介

張光直（Chang, Kuang Chih, 1931-2001）

美國哈佛大學人類學博士。在美國耶魯大學人類學系執教多年，之後任美國哈佛大學人類學系教授兼系主任。歷年來獲選為中央研究院院士、美國科學院及美國文理科學院院士、中央研究院副院長。他將當代文化人類學及考古學的理論和方法應用在中國考古學與台灣考古學上面，並促成兩者與當代考古學發展的接軌。他的代表作《古代中國考古》（*The Archaeology of Ancient China*）提出中國文化的多元起源論，迄今仍然是中國考古學最主要的著作。其他主要著作有：《商代文明》（*Shang Civilization*）、《中國考古學論文集》等。

（**林載爵撰**）

東亞人文
100
TW-11

林毓生

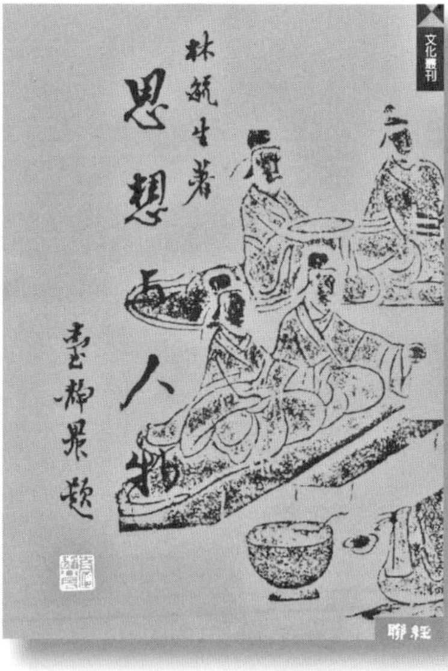

思想與人物

為什麼在中國實現多元化的自由主義是那麼艱難？本書便是由探討此一問題為中心的各篇文章結集而成。書中論析了自由主義所肯定的幾項重要理念與價值以及他們之間相互的關係，也討論了五四激烈反傳統主義的歷史成因與涵義，以及與其有關的道德保守主義的歷史困境。作者採取的觀點是：邁出五四以光大五四，因此除了肯定五四運動所揭櫫的自由、理性、法治，與民主的目標外，也對五四思想的許多實質內容與思想方式做了嚴格的批評。

林毓生認為，從純正自由主義的觀點來看，維持社會與文化的穩定而又同時促進社會與文化的進步，最重要的條件之一是一個豐富而有生機的傳統。可是，二十世紀中國思潮的主流卻偏偏是：一方面企盼與要求自由、理性、法治與民主的實現與發展，另一方面則是激烈反傳統主義的興起與氾濫，這是中國近代思想發展的最大矛盾之一，也是中國自由主義內在的最大困擾之一。自由、理性、法治，與民主不能經由打倒傳統而獲得，只能在傳統經由創造的轉化而逐漸建立起一個新的、有生機的傳統的時候才能逐漸獲得，這是中國知識分子當前最重大的課題。

傳統上，中國並沒有民主的觀念與制度，中國的「普遍王權」（universal kingship）認為人間的政治與社會秩序必須依靠秉承「天命」的君主才能取得，所以傳統的思想家也從來沒有想到國家的秩序可以來自人民的自治。至於自由，如果說自由主義中一個主要的觀念是「人的道德自主性」，那麼儒家的「仁的哲學」的確蘊含了這個觀念。不過，儒家思想中雖有這個觀念，但它在歷史的發展中，因受了許多因素的影響，經常與違反自由主義的觀念與行為纏繞在一起，以致在傳統的中國，它的實質力量並未得到充分的發揮。所以只能說儒家的「仁的哲學」雖可作為發展中國自由主義所應努力進行的「文化傳統創造的轉化」的一部分基礎，藉以與康德哲學的「道德自主性」的觀念銜接，但不能說中國傳統中具有自由主義的成分。作者認為，「仁」的觀念與西方自由主義對個人價值的信仰並不相同，但是若對儒學重做一番解釋的功夫，儒家道德理想主義與西方自由人文主義之間的整合有相當的可能性。只有經過這樣的整合，自由個人主義才能在中國知識分子的意識裡生根。

至於什麼是「創造的轉化」？林毓生說，那就是把一些中國文化傳統中的符號與價值系統加以改造，使經過改造的符號與價值系統變成有利於變遷的種子，同時在變遷的過程中繼續保持文化的認同。要對文化傳統進行「創造的轉化」，首先要具有對中國文化傳統與西洋文化傳統真正實質的了解，也就是對這兩個文化傳統的來龍去脈要有深切的歷史認識，同時對中西經典著作要有敏銳精微的了解。這是一條漫長的道路，但也是中國建立民主與自由的必走之路。

《思想與人物》 林毓生 著

聯經出版公司／台北／1983／130×210mm／498頁

【目次】

文化接觸的反省／一些關於中國文化與文學的意見／超越那沒有生機的兩極／不以考據為中心目的之人文研究／民主自由與中國的創造轉化／一個培育博士的獨特機構：「芝加哥大學社會思想委員會」／四／殷海光先生一生奮鬥的永恆意義／在轉型的時代中一個知識分子的沉思與建議／海耶克教授／學術工作者的兩個類型／五／鍾理和、「原鄉人」與中國人文精神／黃春明的小說在思想上的意義／如何做個政治家？／面對未來的關懷／論民主與法治的關係

作者簡介

林毓生（Lin, Yu Shen, 1934-）

芝加哥大學社會思想委員會哲學博士。一九七〇年開始執教於威斯康辛大學麥迪遜校區歷史學系，主講中國思想史，於二〇〇四年退休。一九九四年當選台灣中央研究院院士。著有 *The Crisis of Chinese Consciousness: Radical Antitraditionalism in the May Fourth Era*、《中國意識的危機：「五四」時期激烈的反傳統主義》、《思想與人物》、《政治秩序與多元社會》等。

（**林載爵撰**）

東亞人文100

TW-12

黃仁宇

萬曆十五年

《萬曆十五年》原名*1587, A Year of No Significance: The Ming Dynasty in Decline*，一九八一年由耶魯大學出版社出版，獲得一九八二年美國國家書獎（The National Book Award）歷史類入圍圖書，被美國許多大學採用為參考書，另有法文、德文、義大利文、西班牙文、日文等版本。是黃仁宇著作中最暢銷的一本。他以超越傳統史學道德判斷的眼光，描繪了明末代表人物與制度的關係。

他以一個皇帝，兩個宰相，一個官僚，一個將軍和一個哲學家來組合這個制度的面貌，他們統統被捲入整個龐大體系僵化、衰敗的過程中。他並不斤斤計較於書中人物一己的賢愚得失，而是將他們放在整個中國傳統社會、政治、經濟、文化的架構中來加以衡量。他們的命運，顯現了整個中國傳統政治、社會發展上的重大障礙。

對於皇帝來說，即使貴為天子，也不過是一種制度所需的產物，在另一種意義上講，他不過是紫禁城中的一名囚徒。他的權利大都是被動的，他對大臣的奏摺做出決斷，但沒有制訂法律的權力，官僚之間發生衝突，由他加以裁奪，但是他不能改變制度以避免衝突的發生。他要忍受各種禮儀的苦悶與單調，而最深沉的苦悶還在無情的禮儀之外。皇帝是一種制度，但皇帝本人卻是有血有肉的個人。一登皇位，他的全部言行都要符合道德的規範，但是道德規範的解釋卻屬於文官。他受到的拘束是無限的，任何個性的表露都有可能被指責為逾越道德規範。萬曆皇帝最後以皇帝的身分向臣僚做長期的怠工，這在歷史上空前絕後，其動機出於仇恨與報復，因為他的文官不容許他廢長立幼。

但是皇帝放棄職責並沒有讓政府癱瘓，因為文官集團有它的自動控制程序。文官已經形成了一種強大的力量，強迫皇帝在處理政務時擯斥他個人的意志，皇帝沒有辦法對抗這種力量，因為他的權威產生於百官的跪拜之中，他實際上所能控制的非常有限。名義上他是天子，實際上他受制於臣僚。

文官集團是一個龐大無比的組織，這麼強大的文官力量卻存在著無法解決的雙重性格，也就是心理的物質欲望和嘴上的道德標準兩者之間的差距。財政上死板、混亂，給予官員的薪俸又微薄到不合實際，官員要求取得額外收入也就不可避免。體制上既然不周全又無法改善，文官集團只能用精神力量來補助組織的不足。一方面，這些熟讀經史的人以仁義道德相標榜，一方面，體制上又有那麼多的缺陷，給這些人那麼強烈的引誘，陰與陽的距離越來越遠，於是，文官之間存在著對倫理道德和現實生活的不同態度，互相顧忌又互相蔑視，衝突在所難免。本書從一個年份說起，所要呈現的卻是整個中國歷史的關鍵所在。

《萬曆十五年》 黃仁宇　著

食貨出版社／台北／1985／150×210mm／357頁

【目次】

作者簡介

黃仁宇（Ray Huang, 1918-2001）

中央陸軍官校畢業，美國密西根大學歷史學博士。曾任陸軍少尉排長、駐印新一軍司令部少校參謀、駐日代表團少校團員，紐約州立大學紐普茲分校教授。二〇〇一年逝世於美國紐約。主要著作有《緬北之戰》、《十六世紀明代之財政與稅收》、《萬曆十五年》、《放寬歷史的視界》、《中國大歷史》、《赫遜河畔談中國歷史》、《地北天南敘古今》、《資本主義與二十一世紀》、《從大歷史的角度讀蔣介石日記》、《近代中國的出路》、《黃河青山：黃仁宇回憶錄》、《大歷史不會萎縮》。

（林載爵撰）

張灝

幽暗意識與民主傳統

一般人都認為自由主義相信人性是善的，對世界的未來，人類的前途充滿樂觀和信心。當然，自由主義珍視個人尊嚴，堅信自由與人權是人類社會不可或缺的價值。但它同時也正視人的罪惡性和墮落性，從而對人性的了解蘊有極深的幽暗意識。《幽暗意識與民主傳統》就是要把西方自由主義的這一面和幽暗意識之間的關係做一些整理和說明，同時以此為借鏡，對傳統儒家的人性論和政治思想進行釐清和反省。

所謂幽暗意識是發自對人性中或宇宙中自始俱來的種種黑暗勢力的正視和省悟，因為這些黑暗勢力根深柢固，這個世界才有缺陷，才不能圓滿，而人的生命才有種種的醜惡，種種的遺憾。以幽暗意識為出發點，基督教不相信在世界上有體現至善的可能，因為人有著天生的墮落性，靠著自己的努力和神的恩寵，人可以得救，但永遠無法變得完美無缺。這種對人性陰暗面的敏感和正視，基本上是來自基督教原罪的觀念，也因此對權力的罪惡性產生了強烈的自覺，從而體悟到必須以制度來防止權力的腐化，這正是自由主義的重要精神。

儒家思想則是以成德為基點，對人性做正面的肯定。但儒家的人性論也有兩面性，從正面看，它肯定人性成德的可能，從反面看，則蘊含著現實生命有陰暗的地方，需要淨化與提升。因此在儒家傳統中，幽暗意識可以說是與成德意識同時存在，只是儒家的幽暗意識始終被它的樂觀精神所掩蓋。幽暗意識雖然存在，卻未能充分發揮，因為原始儒家從一開始便堅持一個信念：既然人有體現至善，成聖成賢的可能，政治權力就應該交在已經體現至善的聖賢手裡，這就是所謂的「聖王」和「德治」思想，也是中國傳統為何發展不出民主憲政的一個癥結。

本書也討論了新儒家與當代中國思想的危機、傳統與現代化、傳統與中國近代知識分子、五四運動的批判與肯定等中國近代思想史上的幾個重大問題。張灝以一九五八年牟宗三等四位新儒家所發表的「為中國文化敬告世界人士宣言」為中心，把新儒家看做對近代思想危機的回應。從這個角度看，「意義危機」（the crisis of meaning）是近代中國思想危機的一個重要層面。當新的世界觀和價值系統湧入中國，並且打破了一向藉以安身立命的傳統世界觀和人生觀，中國人陷入嚴重的「精神迷失」、「道德迷失」的境地。新儒家所做的努力正是一種「意義的追求」，但是在朝中國傳統文化價值之再肯定的方向中，新儒家自始即以「反實證的思考模式」（antipositivistic mode of thinking）去追求意義，也就是這種思考模式，讓新儒家自視為宋明理學「倫理精神象徵」（ethicospiritual symbolism）的現代維護人，並視之為儒家信仰的精髓，他們所能體驗到的這種道德信念是站在這個信念傳統以外的人，所無法體認到的。

《幽暗意識與民主傳統》 張灝　著

聯經出版公司／台北／1989／130×210mm／260頁

【目次】 幽暗意識與民主傳統／超越意識與幽暗意識——儒家內聖外王思想之再認與反省／新儒家與當代中國的思想危機／傳統與現代化——以傳統批判現代化．以現代化批判傳統／五四運動的批判與

肯定／傳統與近代中國知識分子／一條沒有走完的路——為紀念先師殷海光先生逝世兩週年而作／三民主義的蛻變——由政治宗教走向改良主義／是契機，也是危機——論今日從事民主運動應有的認識

作者簡介

張灝（Chang, Hao, 1937-）

美國哈佛大學博士，中央研究院院士。曾任美國俄亥俄州大學歷史系教授、香港科技大學人文學部教授。專長為中國近代思想史、政治思想史。中文著作有《烈士精神與批判意識》、《幽暗意識與民主傳統》、《時代的探索》。英文著作有：*Liang Ch'i-ch'ao and Intellectual Transition in China, 1890-1907*，以及 *Chinese Intellectuals in Crisis: Search for Order and Meaning, 1890-1911*。

（林載爵撰）

杜維明

人性與自我修養

二十世紀以來，在西方的中國學者和大部分中國的知識分子都注重儒家文化的陰暗面，如專制政治、老人政治及男人取向等，然而，用現代的觀點來評價儒家思想是一回事，而從現代意識形態，如科學主義、民族主義或社會主義，來評價儒家又是另一回事。前者是一種現代的詮釋，後者是一種政治化，近代以來，文化的政治化是儒家中國的悲慘命運。杜維明以這一本文集去除政治化的干擾，反思儒家哲學的中心價值。

他首先指出儒家兩個核心思想「仁」與「禮」的創造性緊張關係。「仁」被用來描述人們藉著道德上的自我修養而達到的最高人生境界。「仁」是一個內在性的原則，這個內在性意味著「仁」不是一個從外面得到的品質，也不是社會的或政治力量的產物。「仁」作為一個內在的道德也不是由於「禮」的機制從外面造就而成，相反，「仁」是更高層次的概念，它賦予「禮」以意義。在這個意義上，我們可以說「仁」基本上是與人的自我更生、自我精進和自我完成的過程相聯繫的。「禮」一般意味著在社會的正當行為的規範和準則，「禮」可以看做是「仁」在特殊社會條件下的外在表現，每一個人總是在社會的脈絡中進行自身的道德修養，人不能沒有「禮」而生活，但當「禮」變成完全具有決定性時，他就不再是一個真實的人了。同樣的，如果沒有「仁」，「禮」就變成空洞的形式主義，沒有了仁，禮很容易退化成為不能進行任何自覺改善的社會強制，並可能摧殘人的真實情感。因此，「仁」和「禮」之間的創造性緊張意味著它們的互相依賴，維持兩者之間的平衡是非常重要的。孔子消除兩者之間衝突的方法在於維持這兩者之間的創造性緊張，並且從事道德的自我修養。

儒學作為宗教性哲學，主要的關懷是研究人的獨特性，從而去理解他的道德性、社會性和宗教性。雖然這樣的研究必然牽涉到對心、性這類問題的理解，但它的主要任務是在探究怎樣成為最真實的人或成為聖人的問題。儒家的成聖之道是以一個信念為基礎的，就是人經由自己的努力，可以達到至善。因此，自我認識的過程就是一種內在自我轉化的行動。自我認識與自我轉化不僅密切相聯，而且完全結合成一體。

宋明儒學主要關心的便是自我實現，把重點放在既是自我認識的途徑，又是與他人真實溝通的方法這種內在經驗的培養上。在宋明儒學家的意識中，他們的主要任務既不是構造一個倫理學的體系，也不是分析一個形而上學的理論。他們認為教育是呈顯個人經由自我修養而學到知識的一個途徑，而學習是體現個人身教內容的方法，他們因此把他們的學問稱為「身心之學」，而「身心之學」的意思也就是成為真實的人的途徑。

杜維明相信，隨著文化的非政治化成為全民的信條，儒學在藝術、文學、歷史和哲學中的精神價值，將會再度表現出它對塑造整個中國創造性心靈的影響。

《人性與自我修養》　杜維明　著

聯經出版公司／台北／1992／150×210mm／398頁

「禮」／三、儒家的成人觀／四、論孟子的道德自我發展觀念／第二部分：宋明儒學的思考模式／五、宋明儒學的「人」的概念／六、從宋明儒學的觀點看「知行合一」／七、內在經驗：宋明儒學思想中的創造基礎／八、心與人性／九、重建儒學傳統／十、主體性與存有論實在——王陽明思維模式闡述／十一、王陽明四句教探究／十二、作為哲學的轉化思考／十三、顏元：從內在體驗到實踐的具體性／第三部分：現代儒學思想體系／十四、熊十力對真實存在的探究／十五、儒家思想：近代的象徵和實質

作者簡介

杜維明（Tu, Wei Ming, 1940-）

第三代新儒家代表人物。美國哈佛大學博士。曾任教於普林斯頓大學、柏克萊加州大學，一九八一年起任教於哈佛大學，教授中國歷史與哲學，一九九六年出任燕京學社社長，現任北京大學高等人文研究院院長。一九八八年獲選為美國人文社會科學院院士。多年來致力於儒學第三期發展、文化中國、文明對話，及現代精神的反思。著有《人性與自我修養》、《儒家自我意識的反思》、《儒學第三期發展的前景問題》、《現代精神與儒家傳統》等。

（林載爵撰）

東亞
人文
100

TW-15

周婉窈

台灣歷史圖說

《台灣歷史圖說》的撰寫有三個特色，第一，涵蓋範圍上起史前時期，下迄一九四五年二次大戰結束，二〇〇九年的增訂版又增加了「戰後篇：後殖民的泥沼」，討論了二二八事件、「白色恐怖」時代、黨國教育、民主化、歷史記憶等議題。第二，以台灣島為歷史單元，人群方面則以原住民為敘述起點，且於往後的篇章中仍不時出現，脫離過去的漢人開發史觀，在內容上也跳脫一般以政權為主體的敘事架構。第三，以大量的圖片和圖表作為輔助說明，文字和圖像互相補充，為一般大眾對台灣史的理解開拓新視野。

本書以「誰的歷史？」開場，質問在各個族群從歷史的幽暗角落走出來，要求走入歷史時，歷史工作者將如何撰寫一部照顧到每個族群的台灣史？以最明顯的歷史分期來說，把清朝統治前的時代分為「荷蘭時代」與「明鄭時代」是禁不起質疑的。在這兩個時期，不論鄭氏政權或荷蘭東印度公司統轄的地區都只是局部地區，台灣的絕大部分仍屬於原住民的生活範圍。對這種武斷的歷史分期，我們大可問道：這是誰的歷史？而所謂的「台灣四百年史」，更是漢人觀點的表現。作者試圖從比較普遍的角度來看台灣的問題，以地理空間來回溯一個社群或民族的共同歷史，極力避免漢民族的沙文史觀，以及意識形態框架下的價值貶抑和自我吹捧。

在討論「漢人的原鄉與移墾社會」時，作者強調原鄉不但影響了漢人移民在台灣的地理分布，他們建立起來的社會到處看得到原鄉的影子。但是台灣漢人社會也有作為邊疆移墾社會的獨特性。這種雙重性格充分表現在台灣漢人社會的「祭祀公業」的宗族組織上，以及特別的土地租佃制度上。

台灣原為移墾社會，仕紳階層薄弱，地方被豪強控制。台灣早期的大族，大多以土地或商業起家。然而，隨著移墾社會的轉型，經由科舉功名取得社會領導地位的仕紳階層逐漸出現，可惜這個路程頗為漫長，等到霧峰林家蛻變為傳統中國社會仕紳時，台灣卻割讓給了日本。

台灣在日本統治下，經歷了殖民地化與近代化的雙重歷史過程。一般而言，殖民地化是十分負面的經驗，近代化則是正面的評價居多，如果忽略了這種夾雜不清的關係，將無法了解台灣人對日本統治在感受上的複雜和曖昧。然而，不管殖民地統治留下如何豐富的遺產，近代式殖民統治最大的傷害在於剝奪了殖民地人民對自我之傳統、文化，以及歷史的認知，導致「自我」的虛空化、「他者化」，這是台灣人最難以痊癒的創傷。

戰後，台灣擺脫了殖民統治，這是殖民地人民反省殖民統治，掙脫殖民者的思維與論述，重新建立自我的時機，但是在這條路上，台灣走得極為顛簸。這條泥沼之路如何走出來，仍然是台灣人的最大挑戰。

《台灣歷史圖說》 周婉窈 著

聯經出版公司／台北／1997／150×210mm／192頁
增訂版／2009／312頁

【目次】

民與南島語族／第四章　「美麗島」的出現／第五章　漢人的原鄉與移墾社會／第六章　漢人與原住民的關係／第七章　改朝換代／第八章　兩大反抗事件／第九章　殖民地化與近代化／第十章　知識分子的反殖民運動／第十一章　臺灣人的美學世界／第十二章　戰爭下的臺灣／戰後篇：後殖民的泥沼／第一章　二二八事件／第二章　「白色恐怖」時代／第三章　黨國教育／第四章　民主化、歷史記憶、我們的路

作者簡介

周婉窈（Zhou, Wan Yao, 1956-）

美國耶魯大學博士，現為台灣大學歷史系教授。研究領域為日據時期的台灣史。近年來著重在近代式教育、歷史意識與國家認同之間的關係。著有《日據時代的台灣議會設置請願運動》、《台灣歷史圖說》、《海行兮的年代》，譯有《史家的技藝》。《台灣歷史圖說》目前有韓文版（新丘文化，二〇〇三）和日文版（平凡社，二〇〇七）。

（林載爵撰）

東亞人文
100
TW-16

王德威

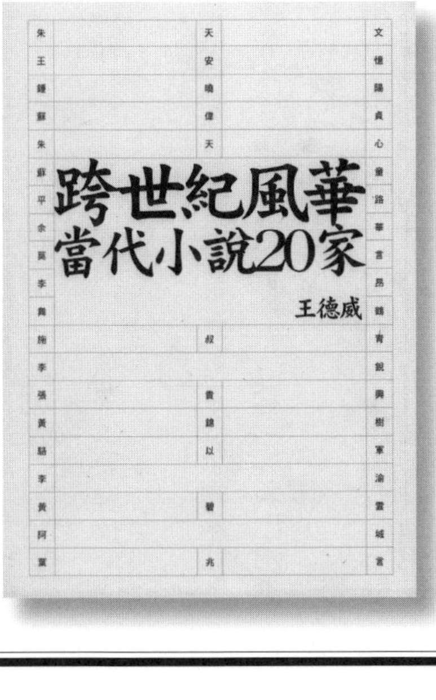

跨世紀風華
當代小說20家

王德威在書中說明了自一九八〇年代以來，海峽兩岸的文學風貌。其中尤以小說的變化，最為多彩多姿。在「感時憂國」以外，性別、情色、族群、生態等議題，無不成為抒發對象。

現代小說作為一種象徵性的社會活動，所具有的豐厚潛力，經過一個世紀的琢磨，小說家所成就的高潮也有可能是個反高潮。中文現代小說曾被視為具有「不可思議」的力量，可以改造民心士氣。在新世紀裡，「不可思議」的是，小說的力量反而來自於一種私密話語的感動，一種精緻書寫技藝的再生。

書中所介紹的作者都是以其精練風格或實驗精神，在近年廣受重視的作家。他推薦了兩岸四地（台灣、中國、香港和馬來西亞）小說家的傑作，也將他們放在文學史的脈絡裡做討論，展現出跨世紀華文文學的壯觀版圖，也同時宣示二十世紀九〇年代中文小說的一大豐收。

他在書中以深入淺出的論述作為基礎，介紹二十位小說家個別的特色，同時觀照小說與政治、社會、人生的關聯，提供中文小說研究一個嶄新的視角，尤其強調小說的影響力量，不容忽視。王德威精確描繪各家小說的特色，對於世界中文小說的閱讀及研究，具有非常豐富的參考價值。

雖然本書裡的各篇文章是為讀者而寫，但也是作者與個別作者的一種對話方式。例如朱天文為回應作者的評論，寫出了長文〈花憶前身〉，交代她與胡蘭成的一段公案，極富史料價值。

他討論到的女作家王安憶，憑《紀實與虛構》及之後的《長恨歌》，成為新海派作家的首席代表。朱天心的《古都》引來熱烈迴響，也是世紀末台灣想像／論述最動人的佳作之一。男作家舞鶴的《餘生》直搗本土原鄉敘事的黑洞，以原住民的「餘生」記憶填充一頁歷史空白。而李昂的《北港香爐人人插》則活生生的演出創作倫理及政治影射的兩難。此外，王德威更在書中提出張貴興的南國神話因為《我思念的長眠中的南國公主》而越加複雜，同時駱以軍的《遺悲懷》把私小說的禁忌與魅力操作得人人側目。《跨世紀風華：當代小說20家》論證了這些作品引來的反響、辯難、爭議，成為讀者難忘的部分。

《跨世紀風華：當代小說20家》　王德威　著

麥田出版社／台北／2002／150×210mm／464頁

【目次】

作者簡介

王德威（Wang, De Wei, 1954-）

美國威斯康辛大學麥迪遜校區比較文學博士。曾任教於國立台灣大學外國語文學系、美國哥倫比亞大學東亞系。現任美國哈佛大學東亞語言及文明系講座教授，二〇〇四年獲選為中央研究院院士。他的論著包括《從劉鶚到王禎和：中國現代寫實小說散論》、《眾聲喧嘩：三〇與八〇年代的中國小說》、《小說中國：晚清到當代的中文小說》、《眾聲喧嘩以後：點評當代中文小說》、《被壓抑的現代性：晚清小說新論》、《現代中國小說十講》、《歷史與怪獸：歷史，暴力，敘事》、《後遺民寫作》、《一九四九：傷痕書寫與國家文學》、《茅盾，老舍，沈從文：寫實主義與現代中國小說》等。

（**胡金倫撰**）

香港

東亞人文100

HK-01

張佛泉

自由與人權

中國從十九世紀末引進西方的自由觀念，並且極力鼓吹，但是對於何謂自由則沒有詳細而完整的研究與討論。張佛泉的這本書可以說是第一本對自由觀念全面而深入探討的著作。

在處於冷戰時期的一九五〇年代，張佛泉特別強調需要「重新確定」（re-define）或「重新解釋」自由的意義，以保衛自由、宣揚自由。他說，英美人的自由觀念與制度已有幾百年的歷史，都是用來解決生活中最基本的問題，至易至簡，沒有半點神祕，自由的意義本來就是十分平實，並且可以學習而且必須學習的生活制度。

他將自由的觀念分為兩種指稱：一種指自由制度，是政治方面的保障，屬於法制範圍，可以逐一列舉，開出人權清單，載於各項法律之中，保障每個人的內心生活，使之不受政治因素及他人的干擾。一種指人的內心生活，屬於道德的範圍，是政治權力干涉不到、組織不起來的。這兩種指稱下的自由，各有不同的「意義系統」（system of meaning），不容混淆。前一種指稱下的自由又稱為權利，它的意義是很確鑿的，自成一個固定的意義系統。後一種指稱下的自由則遠較為複雜，它不只代表「自由意志」，凡是自發的、主動的、內心的自由生活或理論，都包括在後一種指稱之下，它很難稱為「一個」意義系統，而應稱為眾多的意義系統。

張佛泉將第一指稱的自由的基礎追尋到中古時期的封建制度。英國一二一五年的「大憲章」（Magna Carta）裡所提到的自由都是具體而有所專指的，諸自由（liberties）在這個時候等於諸權利（rights），這種用法一直持續到現在。自由的意義既經確定為權利，每個人的基本權利便是可以列舉的，當做一切法律的最高準則，不能輕易變更，因此，基本人權是「不可出讓的權利」。

對於有著獨特的傳統生活的中國，如何能學習發祥於英美的人權的制度？張佛泉認為最重要的有下列三點：

一、必須徹底認識自由的意義是可以了解、傳達，可以學習、可以採用的。「歷史主義」（historism）論者認為制度不能移植，對人權理論的了解及自由制度的普及化，都構成了極大的障礙。

二、制訂一個正確的「人權清單」，絕對不得以普通法律限制基本人權。

三、爭取並保持言論、出版、集會、請願等關於思想及信仰表現的諸權利的「表現自由」（freedom of expression）為第一要務。

本書是近代中國一百多年來引介西方自由觀念的歷史中，對自由觀念的解析最深入的一本書。書中的論述也顯示了張佛泉對西方政治思想的深入了解。本書出版後，中國人對自由的觀念終於有了比較完整的了解。

《自由與人權》　張佛泉　著

亞洲出版社／香港／1955／150×210cm／295頁

作者簡介

張佛泉（Zhang, Fo Quan, 1907-1994）

畢業於燕京大學。自美留學返國後，先後任《大公報》編輯、北京大學政治系副教授、西南聯合大學政治系主任。一九四九年到台灣後，先後擔任東吳大學政治系主任及東海大學政治系主任兼文學院院長。一九六一年獲美國福特基金會獎助，至哈佛大學任研究員。之後在University of British Columbia擔任教授直至退休。主要研究領域為西方政治思想與哲學。其他著作還有《無法出讓的權利》。

（林載爵撰）

東亞人文
100
HK-02

羅香林

香港與中西文化之交流

香港自漢、晉以來，華人已在此從事漁耕生活，或經營其他產業。唐、宋以後，香港所屬的九龍半島與新界，成為中外交通的要地，尤其在海洋貿易上更是重要。一八四二年割讓給英國之後，英國人帶來了近代化的措施，香港本島與九龍半島，商業日益發展，地位益形重要，廣東、福建等省的工商人士，源源而至。他們不僅要安居樂業，更追求長遠發展，常常由內地延聘文人，教導子弟讀書，更進而要求子弟返回內地，考試當官或再求深造，有所成就之後又回到香港，中國文化的傳統精神在香港的華人社會生根。

香港在中西文化交流上的作用，以及香港人士給於中國新文化運動的貢獻與影響，是一個重要的課題。自一八四二年以後，凡是從歐美來中國傳教或經營其他事業，大多先到香港，待熟悉中國情況，再赴內地。例如，著名的英國翻譯家傅蘭雅（John Fryer）於一八六一年先到香港任教兩年，再轉赴北京，任同文館英文教習。而要出國的中國人，也多先在香港候船，或先留在香港學習外語與其他西學，然後再出發。例如，清末派遣幼童赴美留學，也是先到香港招考曾學習過英語的學生。因此香港成為西方文化東傳的重要基地，在接受西方文化上香港自然開風氣之先。而「科學研究」、「民主精神」、「愛好自由」與「平等精神」等西方價值，也最早在香港落實發展。另一方面，西方文化也在香港與中國文化發生匯合作用，由匯合而交融。

羅香林在本書中討論了早期傳教士翻譯中國經典、創辦學校及組織學會的貢獻、中國學術自香港傳播到歐美的經過、香港早期的西醫書院及其在醫術與科學上的貢獻、最早自香港留學美國的容閎及其所提倡的洋務、中國文學在香港的演進等議題。最後說明中西文化所以能在香港交融的原因。

在翻譯事業方面，早期從歐美各教會派到香港與內地的傳教師，如理雅各博士（James Legge）、麥都思博士（W. A. Medhurst）等，他們從事《聖經》的翻譯與新教育的推廣，這些固然有助於基督教的推廣，但他們也樂於研討中國學術文化，如理雅各博士與歐德理牧師（Rev. E. J. Eitel）將中國典籍譯為英語，對中國學術思想的西傳，貢獻甚大。在教育事業方面，何啟所倡議於一八八七年成立的「西醫書院」（College of Medicine for Chinese, Hong Kong）對中國近代西式高等教育的發展影響最大。

除何啟外，對中國近代化產生影響的香港人士還有容閎和王韜。容閎是中國人在香港肄業後，最早留學美國著名大學的第一人，學成歸國後，又最早提倡洋務，並產生巨大影響。王韜遷居香港後，襄助理雅各博士翻譯中國典籍，並遊歷英法，親身目睹西歐政治經濟與物質文化等方面的建設，故大力主張興辦洋務，變法圖強。羅香林透過中西書的翻譯、西式教育的發展、受到西方文化影響而倡導維新變法的中國人士來說明香港在中西文化交流中的特殊地位。

《香港與中西文化之交流》 羅香林 著

中國學社／香港／1961／150×210mm／266頁

早期之西醫書院及其在醫術與科學上之貢獻／第六章　中國文學在香港之演進及其影響／第七章　香港大學中文系之發展／第八章　結論

作者簡介

羅香林（Luo, Xiang Lin, 1905-1978）

客家研究開拓者。畢業於清華大學歷史系，歷任中山大學、香港大學、珠海書院教授。生平著書四十一種。他首創族譜學，開拓了歷史研究新領域。他所撰寫的《客家研究導論》、《客家源流考》、《客家史料匯篇》等著作，為客家研究奠定了重要基礎。其他著作還有《國父（孫逸仙）之家世與學養》（一九七二）等。

（林載爵撰）

東亞人文100
HK-03

何炳棣

黃土與中國農業的起源

中國歷史很多課題之中，最基本而又最困難的一個，莫過於中國文化的起源。在中國文化起源這個非常廣泛的課題之中，中國農業的起源更是一個重要的專門課題。何炳棣在本書中的貢獻是根據多方面史實說明中國遠古農業體系的特殊區域性和獨立性。舊大陸兩河、尼羅河、印度河等區域的古代農業體系，是建立於氾濫平原、原始灌溉與大小麥作之上。中國遠古的農業體系，是建立在完全不同的基礎之上：小河流域的黃土台地、旱地耕作和標準「中華型」的農作物組合。他以考古、植物、文獻、語言等多方面的資料，檢討個別農作物是否原生於華北、江淮、是否為中國先民所最早培育。

要證明中國最古的農業與黃河這條氾濫大河無直接關係，最直截了當的辦法是分析仰韶、龍山和其他古文化遺址的地理方位和地形。他根據考古資料得到的結論是：一、絕大多數的遺址都是沿著黃河的支流分布，這些小河與氾濫大河迥異。二、新時器文化遺址都是沿著小河的黃土台地或小丘岡分布，高出河面數公尺至數十公尺。因此中國最早的農業不可能是利用氾濫大河從事灌溉的農業，而是旱地農業。中國灌溉的起源，較西南亞要晚幾乎四千年，較史前的中美洲也還要晚兩、三百年。東西半球所有主要古文化之中，灌溉的起源以中國為最晚，西元前六世紀前半以前並無灌溉。

何炳棣並以小米、高粱、稻、麥等作物的種植論證中國農業的開始，他的結論是：

一、古代中國北方農作系統之中，至今日中國版圖以外傳入的是小麥與大麥。

二、麥類雖是較晚自外傳入的作物，但種植方法是「華北式」，而不是「兩河式」，是旱種，而不是灌溉的。這個富於獨立特徵的農業體系，很顯然的是因地制宜，積累長期經驗才逐漸發展形成。

三、農作物如粟、黍、稷三位一體的小米群，高粱、水稻、大豆、桑都是中國黃土區域和鄰近地帶的原生植物，是華北先民所最早培育。

因為地形構造的特殊，中國的民族發展以及文化發展在舊大陸中是非常特殊的。過去因為考古的發現不夠，一般學者只能拿兩河流域、埃及、印度的文化體系來比照，因此就忽略了中國史前及有史時期上古一段的獨特現象。考古的材料增多，許多假設被糾正過來。但是其中一個非常重要的農業發展問題，還缺少系統的，精詳的研究。本書在一九六〇年代末出版，可以說是劃時代的重要著作。在此以前，國際學界公認最早的農業活動出現於兩河流域。何炳棣的研究使國際學界承認農業文明曾獨立地發生於中國華北黃土高原，使中國古代農業文明成為多元的世界古代文明的起源之一。本書出版後，開啟了中國文明起源的新視野。

《黃土與中國農業的起源》　何炳棣　著

香港中文大學出版社／香港／1969／170×230mm／228頁

【目次】上編　中國黃土區域的古自然環境／（甲）中國黃土的地理分布／（乙）黃土的成因和主要黃土地層／（丙）黃土區域的土壤／（丁）黃土區域的古動物群／（戊）黃土區域的古植被／中編　古代文獻中黃土區域的植被／（甲）文獻述要／（乙）植被記載／（丙）植被資料的統計與分析／（丁）

歷代伐林論要／下編　中國農業的起源／（甲）中國最古農業的基本特徵／（乙）「小米」與農業的開始／（丙）高粱／（丁）稻／（戊）麥／（己）其他

作者簡介

何炳棣（Ho, Bing Di, 1917-）

畢業於北京清華大學歷史系，一九五二年以十九、二十世紀之交英國的土地問題、土地改革運動及土地政策為題，獲得美國哥倫比亞大學博士學位。一九六三年任教於芝加哥大學，研究目標轉向中國社會經濟史。一九六六年獲選為中央研究院院士，一九七九年獲選為美國藝文及科學院院士。一九七五至一九七六年被會員公推為美國亞洲研究學會會長，是迄今唯一的華人會長。一九八七年退休。主要著作有：《明初以降人口及其相關問題，（1368-1953）》、《明清社會史論》、《中國會館史論》、《中國歷代土地數字考實》，以及*The Cradle of the East*。

（林載爵撰）

夏志清

中國現代小說史

二十世紀中國文學研究的領域裡，夏志清是最具影響力的人物之一。在中國現代小說的研究上，本書可說是劃時代的經典之作，為西方的現代中國文學研究，奠定基礎。夏志清綜論了一九一七年文學革命至一九五七年反右運動的半世紀間，中國小說的流變與傳承，甚至超越政治立場及門戶之見，立一家之言，致力於「優美作品之發現和評審」，並深入探求文學的內在道德情操。他對許多現代小說家重新評價，尤其是「發掘」了不少當時並未受論者注意的作家，如張愛玲、錢鍾書、沈從文、姜貴等。本書的論述，使讀者對中國文學現代化的看法，有了典範性的改變，引導讀者思考一系列更廣義的文化及歷史問題。此書的寫成，見證了離散及漂流的年代裡，知識分子與作家共同的命運；歷史的殘暴不可避免的改變了文學以及文學批評的經驗。

本書共有十九章。其中的十章都以重要作家的姓名為標題，如魯迅、茅盾、老舍、沈從文、張愛玲等。其他各章處理了分量稍輕的作家，同時凸顯了形成文學史的其他重要題目。如第一及第十三章討論現代史兩個關鍵時刻——五四時期及抗戰之後——小說創作與文學、文化政治的複雜關聯；第三及第四章分別描述了兩大文學社團——文學研究會及創造社——的組成原委、創作方向及風格；第五、十一及十八章則評論左翼文學從萌芽到茁壯的各階段表現。除此之外，本書還有一章結論，綜論大陸文學在反右運動後到文革前夕的風風雨雨。附錄〈現代中國文學感時憂國的精神〉曾受到廣泛的徵引及討論，堪稱是文學批評界過去三十年來最重要的論述之一。

夏志清推崇文學本身的美學質素及修辭精髓。他在書中批判那些或政治掛帥或耽於濫情的作者，認為他們失去了對文學真諦的鑑別力。在這一尺度下，許多左派作家自然首當其衝。不過，夏志清的企圖心並不僅於「細讀文本」，藉由新批評，他希望重探國家論述與文學論述間的關聯，強調《中國現代小說史》企求「從現代文學混沌的流變裡，清理出個樣式與秩序；並且參照曾經影響現代中國文學的西方觀念、模式，思考其間的挑戰與範式」。他要為中國建立現代文學的「大傳統」。本書的學術地位，歷久不衰，至今仍是有關中國現代小說研究的權威著作。

面對《中國現代小說史》內各個作者的取材、風格及意識形態立場，夏志清採取了同中求異的策略。他認為中國作家深懷道德使命，好的作家應該既能深入挖掘中國社會病根，又能同時體現藝術及人生視野。《中國現代小說史》出版後數年間，他越發理解，如要更細膩處理現代中國小說以及廣義的文學、文化史，就不能不對古典小說的來龍去脈多做了解。一九六八年，他出版了《中國古典小說史論》，集中討論明清六大白話小說，通過細膩的解讀及精妙的翻譯，引領西方讀者進入一個截然不同的敘事傳說及人文情境。

《中國現代小說史》　夏志清　著
友聯出版社／香港／1979／170×230mm／562頁

作者簡介

夏志清（Xia, Zhi Qing, 1921-）

美國耶魯大學英文系博士，中央研究院院士。曾任教於北京大學、美國密西根大學、紐約州立大學、哥倫比亞大學，專授中國文學。中文著作有《中國現代小說史》、《中國古典小說史論》等，文學評論集《文學的前途》、《人的文學》、《新文學的傳統》、《夏志清文學評論集》等，英文著作有 *The Classic Chinese Novel: A Critical Introduction*、*A History Of Modern Chinese Fiction*、*C. T. Hsia On Chinese Literature*。

（**胡金倫撰**）

沈從文

中國古代服飾研究

古代服飾是工藝美術的重要組成部分，又是歷史發展和社會時尚變化的標誌之一。本書是文學家、學者沈從文的學術代表作，也是第一本有系統研究中國服飾的專著，從書中可以了解中國服飾文化的發展以及工藝水準的進步。範圍從舊石器時代晚期至明清，不同階層服飾制度的發展、沿革，以及它和當時社會、物質生活的關聯。

沈從文認為，中國服飾研究，文字材料多，但和具體情況的差距很大，純粹由文字出發而做出的說明和圖解，所得知識很難全面。漢代以來的史書雖然多附有服飾的記載，但內容重點多限於上層統治者的儀式和一個龐大官僚集團的官服，記載儘管詳盡，其實大多輾轉沿襲，不能反映現實情況。他因為在博物館工作，有機會接觸實物、圖像、壁畫、墓俑，因此排比材料，採用一個以圖像為主，結合文獻進行比較探索、綜合分析的方法，得到新的認識。

商代部分收錄了用不同材料反映不同衣著、體型的商代人形。這些人形不僅反映商王朝不同階層，還包括與商王朝對立的各部族的人民形象。西周和東周，材料比較貧乏。春秋戰國由於諸侯兼併，技術交流，珠玉錦繡已成為商品市場的特別商品，衣著服飾跟著文彩繽紛，光輝燦爛，花樣百出，不拘一格，開拓了中國服飾的新境界。

秦代的衣著，所知有限，出土人形主要是戰士，衣甲器物一切如真。兩漢時期，在典籍中，對服飾的記載十分詳盡，但大多為上層階級禮儀上的服飾制度。出土石刻則多為日常生活與奴僕勞動情況。到了三國兩晉南北朝，最流行的當屬幅巾的使用，最有名的莫過於諸葛亮綸巾羽扇指揮戰事。巾子的式樣、形狀、材料、色彩，各有不同。

本書中，唐代服飾因為文獻詳細，材料又特別豐富，所以篇幅特別多，最有意義的是，唐代胡服說明了多元文化的特色。婦女花冠起源於唐代，盛行於宋代。唐代花冠如一頂帽子套在頭上，直到髮際。宋代除花冠外又喜歡簪花，這在繪畫上常常可以見到。至於明清兩代，因時間過近，材料過多，只能引用部分圖像材料結合部分雜記，加以說明。

沈從文依據實物、圖像及相關的文獻記載，為三千年中國服飾文化的發展描繪出清晰的軌跡，由此可以見識民族文化演繹的脈絡和各民族間的互相影響。歷代生產方式、階級關係、風俗習慣、文物制度等，也可以在書中連帶了解。他自己說，本書是由個人認識角度出發，以實物圖像為主，應用不同方式，進行綜合探討的工作。總的看來雖具有一個長篇小說的規模，內容卻近似風格不一，分章敘事的散文。

《中國古代服飾研究》　沈從文　著

商務印書館／香港／1981／260×360mm／568頁

【目次】全書按照朝代先後，依次敘述，總共179篇。收入插圖810幅，其中彩圖172幅。並附參考文獻及書畫目錄索引。

作者簡介

沈從文（Shen, Cong Wen, 1902-1988）

一生頗具傳奇色彩，少年時入伍接受軍事教育，一九二二年赴北京，開始試筆寫作。隨後結識徐志摩、胡適、葉公超等，而為「京派文人」之一員。一九三〇年代出版了中、短篇小說。一九四八年被郭沫若點名批判，文學創作中斷，幸自殺未遂，後在中國歷史博物館、故宮博物館等從事工藝美術和物質文化史的研究。沈從文是現代文學史上的多產作家之一。二〇〇二年，《沈從文全集》三十二冊出版。

（林載爵撰）

東亞人文100

HK-06

蘇秉琦

中國文明起源新探

這是考古學家蘇秉琦為大眾撰寫的一部考古學著作。總結了中國史前考古的成果，提出了他對中國文明起源的解釋。他認為在中國古代文明的了解上有兩個錯誤的態度，一是習慣把漢族史看成是正史，其他的就列於正史之外。於是，本來不同文化之間的關係，如夏、商、周、秦、漢便被串聯在一起，成為一脈相承的改朝換代，少數民族與境外接壤的周邊地區的歷史則被幾筆帶過，這也使中國史與世界史的關係彰顯不出來。其次是習慣把社會發展規律看成是歷史本身。歷史本身是多種多樣，豐富多彩，把社會發展史當成唯一的、全部的歷史，就把活生生的中國歷史簡單化了。

本書對中國的新石器文化和早期青銅文化，經由比較、分析和歸納，劃分出六大區域系統，從而打破了長期占主導地位的中國古文化的大一統思想。這六大區系是：

一、以燕山南北長城地帶為中心的北方。

二、以山東為中心的東方。

三、以關中（陝西）、山西南部、河南西部為中心的中原。

四、以環太湖為中心的東南部。

五、以環洞庭湖與四川盆地為中心的西南部。

六、以鄱陽湖—珠江三角洲一線為中軸的南方。

中國史前文明真如滿天星斗。各大區系間也還會存在一些文化交會的連接帶，它們不僅各有淵源，各具特點和各有自己的發展道路，而且區系間的關係也相互影響。其間的相互交流、相互滲透、吸收與反饋十分頻繁。這種文化交流趨勢並隨著時間推移而加速，進入春秋時期以後，列國在文化面貌上的接近，從考古學文化角度觀察，已達到空前的程度，民族文化的融合已突破原來六大區系的分野，這就為戰國時期的兼併和秦的最終統一做好了準備。所有這一過程都不是由中原向四周輻射的形勢，而是各大文化區系在大致同步發展的前提下，不斷重組，形成多元的格局。

關於國家的起源可以概括為發展階段的三部曲和發展模式的三類型。發展階段的三部曲是古國─方國─帝國，古國指高於部落以上的、穩定的、獨立的政治實體。方國已是比較成熟、發達的國家，夏商周都是方國之君。中華民族的各支祖先，不論其社會發展有多麼不平衡，或快或慢，大多經歷過從古國到方國，然後匯入帝國的國家發展道路。發展模式的三類型是北方原生型（北方地區的紅山文化到秦）、中原次生型（以夏商周三代為中心）、北方草原續生型（北方草原民族，以秦漢後入主中原的鮮卑、契丹、清朝為代表）。蘇秉琦在本書中提出了一系列有關文明起源及其發展軌跡的新概念，剖析從文明初啟到秦漢帝國形成的過程，為中國文明起源梳理出清晰的脈絡。

《中國文明起源新探》　蘇秉琦　著

商務印書館／香港／1997／170×230mm／150頁

【目次】兩個怪圈／學讀「天書」／解悟和頓悟／「條塊」說／滿天星斗／三部曲與三模式／雙接軌

作者簡介

蘇秉琦（Su, Bing-Qi, 1909-1997）

中國著名的考古學家。畢業於北平師範大學歷史系，一九四九年以後，擔任中國社會科學院考古研究所研究員。一九五二至一九八二年兼任北京大學歷史系考古教研室主任。他致力於創建中國考古學的學科理論和建立具有中國特色的考古學派，並積極推動考古學普及化。著有《瓦鬲的研究》、《論仰韶文化的若干問題》、《蘇秉琦考古學論述選集》和《華人・龍的傳人・中國人：考古尋根記》等。

中國大陸

朱光潛

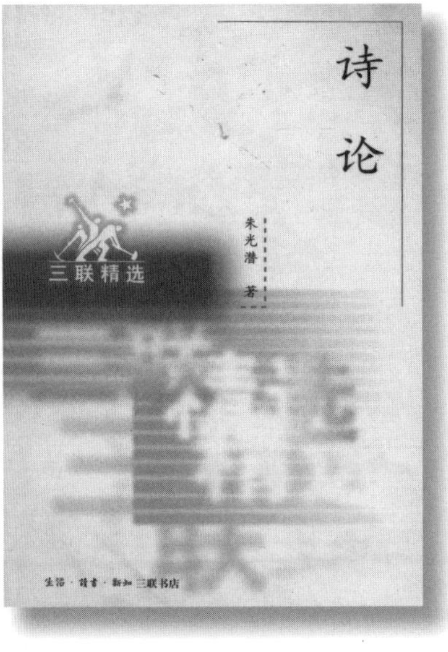

詩論

朱光潛先生自謂詩是其「平素用功較多的一種藝術」，然而用功並不在寫作，卻在欣賞及理論思考的方向上。《詩論》草稿作於二十世紀二〇年代末三〇年代初朱光潛先生留學歐美期間，回國後，分別在北京大學、武漢大學中文系作為課程講授，每講一次，就修改一番。一九四三年，《詩論》終於作為陳通伯等人編著的一套文藝叢書中的一本出版；一九四七年再版，加入〈中國詩何以走上「律」的路〉上、下以及〈陶淵明〉三篇；一九八四年由三聯書店重版，又增補了部分內容。

朱光潛先生少時經歷過私塾式的中國傳統教育，考入香港大學之後，又接受了英國語言和文學的教育，後更在英法留學多年，進一步深造。進入香港大學後不久，適逢「五四」時期和文學革命風潮湧動，朱光潛先生服膺於白話文運動，開始棄文言、以白話寫作。《詩論》整部書試圖打通中西詩學壁壘的嘗試，應該說與朱光潛先生自身這種教育背景有莫大關係。然而另一方面，雖然《詩論》談詩，主要以外國詩與中國古典詩歌為主要闡述對象，但朱光潛先生此書寫作真正針對的，實際上是一九一〇年代末呱呱墜地、至四〇年代發展仍不甚成熟、頗為人所詬病的新詩。

朱光潛先生寫作《詩論》，其想法應該是受西方由亞里斯多德而來的「詩學」傳統啟發。一方面，西方存在論詩、談詩頗深的理論傳統，並且對後世詩人多有影響；另一方面，中國古典詩歌雖然成就巍然，卻缺乏相應的嚴謹理論批評，傳統《詩話》常有凌亂瑣碎之病，且存在重「意會」而惡「言傳」式的分析。因此，在《詩論》中，朱光潛先生試圖對作為一種跨越中西邊界的普遍文學體裁「詩」進行「一個理論的探討」，其注目的兩大問題，一是固有的傳統有幾份可以沿襲；二是外來的影響有幾份可以接收。從根本上而言，都是試圖為新詩的發展提供新的有效資源。

朱光潛先生的這本《詩論》被後世研究者認為是中國現代第一部全面系統的詩學理論著作，同時也是中國比較詩學的經典之作。在《詩論》中，朱光潛先生既「用西方詩論來解釋中國古典詩歌」，也「用中國詩論來印證西方詩論」，這一總體方法論，實際上與朱光潛先生認為的中國新詩發展可憑藉的兩大資源——西方詩歌與中國古典詩歌這一觀點相呼應。尤為重要的是在打通中西的前提下，分析了詩歌的節奏、聲韻、格律等問題，為「五四」以來一刀切斷傳統的中國新詩，指出了在朝向西方新道路的同時，回溯古典資源的路徑。

《詩論》 朱光潛 著

初版／國民圖書出版社／1943
「正中文學叢書」增訂版／正中／1947
新版／生活・讀書・新知三聯書店／1984／140×190mm／288頁

【目次】

國詩何以走上「律」的路（上）：賦對於詩的影響／第十二章　中國詩何以走上「律」的路（下）：聲律的研究何以特盛於齊梁以後？／第十三章　陶淵明／附錄　給一位寫新詩的青年朋友

作者簡介

朱光潛（Zhu, Guangqian, 1897-1986）

別名孟實，安徽桐城人。現代美學家、文藝理論家。青年時期在武昌高等師範學校學習，後肄業於香港大學文學院。一九二五年起先後赴英國、法國研習哲學、心理學和藝術史，獲博士學位。一九三三年回國，先後任教於北京大學、四川大學、武漢大學。中華人民共和國建立後，任北京大學教授、全國美學學會會長、中國社會科學院哲學社會科學部委員等職。主要著作有《文藝心理學》、《談美》、《西方美學史》、《悲劇心理學》等。譯著有黑格爾《美學》、萊辛《拉奧孔》、柏拉圖《文藝對話錄》、克羅齊《美學原理》、維科《新科學》等。

（沅欣撰）

東亞人文
100
CH-02

瞿同祖

中國法律與中國社會

瞿同祖出身於晚清世家，幼承庭訓，古文功底極佳。一九三〇年入燕京大學後研習社會學與歷史，師從吳文藻，「有志於以社會學的方法研究古代社會」。此後終生致力於研究古代中國的制度及其背後的社會秩序。在《中國法律與中國社會》中，瞿同祖便將法律視為社會的產物，認為法律既反映著、又維護了社會的價值觀念和社會結構。

這部書寫於二十世紀四〇年代。其時瞿同祖因日本侵華離京南下，任教於雲南大學和西南聯合大學，開設「中國社會史」、「中國法制史」等課程，以授課講義為基礎寫成《中國法律與中國社會》，一九四七年由商務印書館出版。赴美期間，他將此書譯為英文，添補戰時在雲南難以獲得的資料，一九六一年出版英文版（Tung-tsu Chü, *Law and Society in Traditional China*, Mouton, Paris and the Hague, 1961），影響極大，甫出版便成為各國學者研究中國古代法律的必讀著作。但是，瞿同祖的目的不止於梳理中國法律史。他將法律視為整個社會制度中的一個組成部分，從法律條文、法律思想、判例實際探討法律精神，並研究法律精神下的社會生活。

該書的寫法也因此與通常法律史不同。例如「階級」兩章中，他先談中國自周代起便有士大夫（君子）與庶人（小人）的區分，再引用各朝正史、律例、會要、筆記、案牘、風俗志和詔書，縷析不同階級生活方式（飲食、衣飾、房舍、交通工具）的巨大差別。其後講婚喪儀式各階級亦不同，婚姻為階級內婚。討論完畢階級在社會生活上的差異，最後進入對各階級在法律上不同地位與權利的討論，認為中國古代法律區分了貴賤（貴族官吏與平民）兩種階級，平民內又再分為良民與賤民。這樣，瞿同祖將中國古代思想、社會生活和法律的研究精練於一書。

從法律看社會結構，瞿同祖得出結論：「中國古代法律的主要特徵表現在家族主義和階級概念上，二者是儒家意識形態的核心和中國社會的基礎，也是中國法律所著重維護的制度和社會秩序。」他將中國視為身分社會，最核心的兩種身分即家族和階級，認為這是儒家思想的影響，因為身分是儒家「禮」的核心，也是儒家社會秩序的支柱。但是，中國法律由儒家思想支配，這是一逐漸演進的過程。

瞿同祖的法律史寫作，始終是他社會史關懷的一部分。他以現代社會學的基本思想，結合史學方法研究古代中國，論述遍及法律、政教關係、地方行政。《中國法律與中國社會》正是以「找出中國古代法律的特徵和精神」為目標，通過探索中國古代法律之基本精神，對中國古代社會結構做總體論述。

《中國法律與中國社會》　瞿同祖　著

初版／商務印書館／1947／係吳文藻主編《社會學叢刊》甲集第五種

新版／中華書局／2003／145×190mm／384頁

【目次】

作者簡介

瞿同祖（Qu, Tongzu, 1910-2008）

歷史學家。湖南長沙人，祖父為晚清大學士，父親先後任職於中國駐瑞士及荷蘭公使館。一九三〇年入燕京大學研習社會學與歷史，與後來成為著名社會學、人類學家的費孝通和林耀華同為吳文藻弟子。一九四五年赴美國，曾任哥倫比亞大學、哈佛大學研究員。後去加拿大，任不列顛哥倫比亞大學教授。一九六五年辭職回國，其後因「文化大革命」長期賦閒，先在北京後回湖南，一九七一年被安排在湖南省文史研究館工作，直至一九七八年方調任中國社會科學院近代史研究所研究員，二〇〇八年於北京逝世。主要著作有《中國封建社會》、《中國法律與中國社會》、《清代地方政府》、《漢代社會結構》等。

（劉雪婷撰）

費孝通

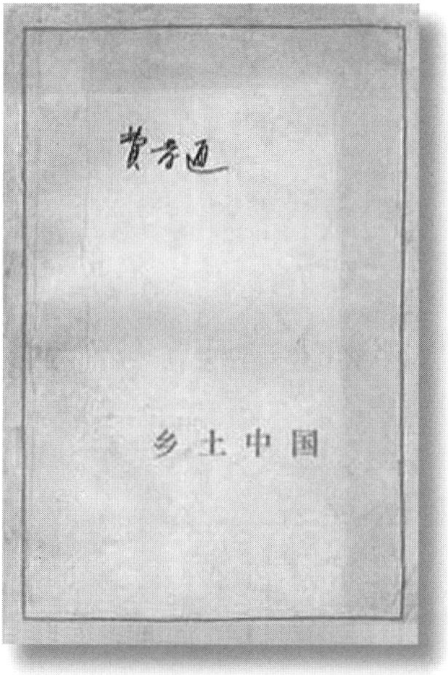

鄉土中國

從一九三八至一九四九年，將屆「不惑」的費孝通迎來了其學術生命的高峰，《鄉土中國》便是這一高峰階段的成果之一。關於《鄉土中國》，費孝通說：

> 這本小冊子（《鄉土中國》）和我所寫的《江村經濟》、《祿村農田》等調查報告性質不同。它不是一個具體社會的描寫，而是從具體社會裡提煉出的一些概念。這裡講的鄉土中國，並不是具體的中國社會的素描，而是包含在具體的中國基層傳統社會裡的一種特具的體系，支配著社會生活的各個方面……我這種嘗試，在具體現象中提煉出認識現象的概念，在英文中可以用Ideal Type這個名詞來指稱。Ideal Type的適當翻譯可以說是觀念中的類型，屬於理性知識的範疇。它並不是虛構，也不是理想，而是存在於具體事物中的普遍性質，是通過人們的認識過程而形成的概念。

費孝通自己把《江村經濟》與《鄉土中國》視為不同學術探索階段的產物。從一九二四年夏天大瑤山初次田野調查開始至一九三三年是第一階段，他的主要工作是實地研究；在一九三三年訪英歸國以後開始第二階段，主要進行社會結構分析，試圖在理論上總結並開導實地研究。費孝通對自己學術思想的梳理是為了說明在不同時期自己的研究重心有不同側重，實際這兩方面的研究在內在思路上並非前後相繼，而是一體兩面。如果說《江村經濟》側重討論社會制度變革，那麼《鄉土中國》則在探討與之相匹配的社會道德——這本質上是一個韋伯式的現代化命題。《江村經濟》與《鄉土中國》之關係這條線索，貫穿了費孝通大半生對社會改革的種種設想。

在方法論上，《鄉土中國》主張，社會學作為綜合科學，應從制度的相互關係著眼，看全盤社會結構的格式。費孝通用「格式」來形容結構形式，認為pattern、configuration、integration都是為結構研究所用的概念。在他看來，其另一部著作《生育制度》「代表以社會學方法研究某一制度的嘗試」，而《鄉土中國》則「屬於社區分析第二步的比較研究的範圍」。

費孝通構建鄉土倫理體系的努力是從社會基層逐漸展開的，這不同於傳統經史學自上而下的做法。《鄉土中國》寫就於一個特殊時期。二〇〇〇年，費孝通在文章中談到，自己來自鄉土社會的對於「工業化」的理解與表達有其歷史局限性，所謂「中國文化」要比「鄉土社會」複雜得多。因此他重申「文化自覺」的命題，指出不同文化中的人要對自身文化及他者文化進行溝通與理解，這牽涉到人對人、人對社會、人對自然的基本關係的理解。他將這些希望寄託在知識分子身上：「看來當前人類正需要一個新時代的孔子了。新的孔子必須是不僅懂得本民族的人，同時又懂得其他民族、宗教的人。他要從高一層的心態關係去理解民族與民族、宗教與宗教和國與國之間的關係。……這個孔子需要培養，我們應當學會培養孔子。」不僅如此，「各國都應當有自己的思想家」——這也是對中國社會科學做出世界性貢獻的期待。

《鄉土中國》 費孝通 著
初版／上海觀察社／1947
新版／生活・讀書・新知三聯書店／1985／140×203mm／102頁

【目次】鄉土本色／文字下鄉／再論文字下鄉／差序格局／維繫著私人的道德／家族／男女有別／禮治秩序／無訟／無為政治／長老政治／血緣和地緣／名實的分離／從欲望到需要

作者簡介

費孝通（Fei, Xiaotong, 1910-2005）

江蘇吳江人。當代中國社會學、人類學學者，也是當代中國活躍的社會活動家。一九三八年獲倫敦大學研究院哲學博士學位。一九五五年到貴州進行民族識別，參加少數民族社會歷史調查。曾任國務院民族事務委員會副主任、中國社會科學院社會學研究所所長、中國社會學學會會長、中國民主同盟第六屆中央委員會主席、第六屆全國政協副主席，第七屆全國人大副委員長，中央民族學院（現中央民族大學）副院長、教授，北京大學教授等。一九八〇年獲國際應用人類學會馬林諾夫斯基名譽獎，一九八一年春獲英國皇家人類學會赫胥黎獎章，一九八二年被選為英國倫敦大學政治經濟學院榮譽院士，一九八八年獲大英百科全書獎。《江村經濟》、《鄉土中國》為其早年代表作。出版有《費孝通文集》（十六卷），收集了他早年至二〇〇四年間的大部分論著。

（**王銘銘　楊清媚　撰**）

東亞人文100
CH-04

馮友蘭

中國哲學簡史

一九四六年馮友蘭應美國賓夕法尼亞大學邀請，赴美做為期一年的講學，講授中國哲學史，後由賓夕法尼亞大學漢語研究中心教授德克・布德將英文講稿整理成《中國哲學簡史》（初名《中國哲學小史》），一九四八年由紐約麥克米倫出版公司出版。本書不過二十餘萬字，問世之時，馮友蘭兩卷本《中國哲學史》已出版十多年，他的哲學系列著作「貞元六書」也已完成，所以自謂這本簡史「小景之中，形神自足，非全史在胸，曷克臻此」。另外，由於本書是講稿整理而成，授課對象又是外國學生，所以文字簡約而通俗易懂。根據馮友蘭晚年的弟子陳來所述：

> 十九世紀中葉以來，強盛的西方侵凌東方，貧弱的東方既要反抗西方的欺壓，又要向西方學習，這種衝突在有古老文化傳統的中國更是尖銳。中國文化與西洋文化這兩種文化的矛盾，以及如何解決這一矛盾，成了當時多數知識分子現實關注的普遍課題，也是馮友蘭研究中國哲學史的時代背景。

馮友蘭認為一九一九年五四運動前的中國人是以舊文化理解新文化；五四後的人以新文化批評舊文化，而他的工作則是以新文化理解、闡明舊文化。他把中國哲學的歷史分成兩個時代，相當於西方的古代和中古時代，並申明中國尚未有近代哲學。這實際上體現了他對東西文化的看法，即十九世紀以前的中國文化統屬於古代文化，從而東西文化的差別與衝突本質上是古代和近代的文化差別，而不是東方與西方的種類差別。

馮友蘭的哲學史研究還特別重視文化的民族性。他認為，雖然傳統中國文化是生產家庭化的文化，但其中道德學說也包含對社會、人生的普遍思考。這些內容對凡有社會、凡有人生的時代都有意義。這種文化的民族性不必因社會類型的轉變而改變。具體說，在物質文明工業化的進程中，民族傳統的精神文明中確實有些可以「不變」的東西，這些不變的東西，一方面是指凡有社會而有的基本道德，是普遍道德寓於其中具體的共相；另一方面是指藝術、文學等形式，它們與西洋民族的藝術、文學形式相比，其不同並不是程度的不同，而是種類的不同，亦即民族的文學藝術形式方面並沒有古今之別。這些形式對於作為個體的、特殊的民族來說是十分重要的。總之，突出中國思想文化的獨特性質是《中國哲學簡史》的特點之一。

《中國哲學簡史》　馮友蘭　著

英文版／美國麥克米倫出版公司／1948

中文版／北京大學出版社／1985／145×190mm／302頁

作者簡介

馮友蘭（Feng, Youlan, 1895-1990）

字芝生，河南南陽唐河人。中國當代哲學家。一九一五年入北京大學文科中國哲學門，一九一九年赴美留學，一九二四年獲哥倫比亞大學博士學位。回國後歷任中州大學、廣東大學、燕京大學教授，清華大學文學院院長兼哲學系主任。抗戰期間，任西南聯大哲學系教授兼文學院院長。一九四六年赴美任客座教授。一九四八年末至一九四九年初，任清華大學校務會議主席。一九五二年後一直為北京大學哲學系教授。主要著作有《中國哲學史》、《中國哲學史新編》、《中國哲學簡史》、《貞元六書》等。生平著作收錄在《三松堂全集》（全十五冊）。

（舒煒撰）

東亞人文100

CH-05

梁漱溟

中國文化要義

《中國文化要義》之構思約始於一九四一年，次年著筆。一九四九年六月完成，十一月成都路明書店印行初版豎排本。一九八七年上海學林出版社出版橫排本，曾做個別刪改。一九九〇年收入《梁漱溟全集》（全八卷，山東人民出版社）第三卷時，又據路明書店版再次做文字和編排上的訂正，並恢復刪略字句。

《中國文化要義》首先從集團（集體）生活的角度對比了中國人和西方人不同的文化傳統和生活方式，進而提出了中國社會是倫理本位社會的重要論斷，並根據對中國宗教的深入考察，指出以倫理組織社會，進而實現中國社會改造的出路。此外，作者還考察了中國社會的基本結構，既批判了中國文化的詬病，也揭示了中國民族精神的要旨。

作者在「自序」裡說：

> 這是我繼《東西文化及其哲學》（作於一九〇二—一九二一），《中國民族自救運動之最後覺悟》（作於一九二九—一九三一），《鄉村建設理論》（作於一九三二—一九三六），爾後之第四本書。
>
> 這本書主要在敘述我對於中國歷史和文化的見解，內容頗涉及各門學問。初不為學者專家之作，而學者專家正可於此大有所資取。我希望讀者先有此了解，爾後讀我的書，庶不致看得過高或過低。

現在梁漱溟常常被稱為「最後一位儒家」，但梁漱溟自己，卻認為更恰當的評價是說「他是一個有思想，又且本著他的思想而行動的人」。僅就「思想」而言，梁漱溟的最重要著作是一九二一年出版的《東西方文化及其哲學》；而就「行動」來說，一九三七年出版的《鄉村建設理論》則是一部總結近十年鄉治運動經驗的書。但總體來看，一九四九年六月完稿的《中國文化要義》，無疑是他最重要的著作了。

一九八五年，《中國文化要義》一書出版三十六年之後，梁漱溟在中國文化書院舉辦的「中國文化講習班」上作的講演，題目也是「中國文化要義」。那時梁漱溟更加明確地指出：「世界未來的前途是中國文化的復興。我相信，人類的歷史，在資本主義社會之後，不應該還是以物為先，而應該是以人與人之間的關係為先，以人與人之間如何相安共處友好地共同生活為先。」對今天如何閱讀《中國文化要義》一書，這是一條很好的啟示。

《中國文化要義》 梁漱溟 著

初版／成都路明書店／1949

「世紀文庫」／上海人民出版社／2005／150×230mm／278頁

【目次】 自序／重印《中國文化要義》自序／第一章 緒論／第二章 從中國人的家說起／第三章 集團生活的西方人／第四章 中國人缺乏集團生活／第五章 中國是倫理本位的社會／第六章 以道

德代宗教／第七章　理性——人類的特徵／第八章　階級對立與職業分途／第九章　中國是否一國家／第十章　治道和治世／第十一章　迴圈於一治一亂而無革命／第十二章　人類文化之早熟／第十三章　文化早熟後之中國／第十四章　結論

作者簡介

梁漱溟（Liang, Shuming, 1893-1988）

現代哲學家，教育家。原名煥鼎，字壽銘，廣西桂林人。早年加入同盟會。一九一七年任北京大學印度哲學講席。一九二四年辭離北京大學後，任河南村治學院教務長並接辦北平《村治月刊》。一九三一年在鄒平創辦山東鄉村建設研究院，任研究部主任、院長，宣導鄉村建設運動。在晚年，他曾將自己的學術生涯劃分為三個階段：西方功利主義、佛學、儒學。重要著作有《印度哲學概論》、《東西文化及其哲學》、《中國民族自救運動之最後覺悟》、《鄉村建設理論》、《中國文化要義》、《人心與人生》等。

（舒煒撰）

東亞
人文
100

CH-06

梁思成

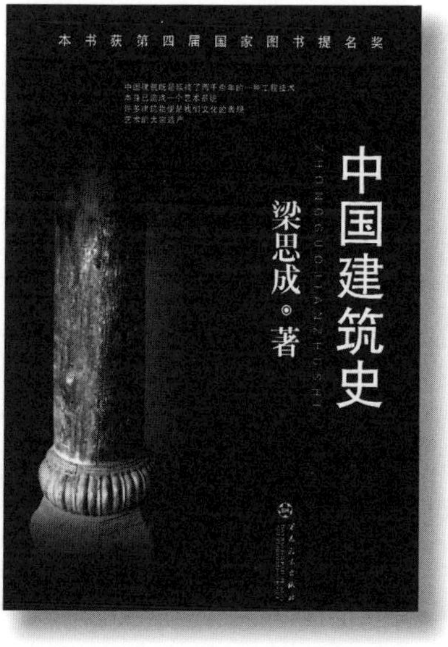

中國建築史

一九三九年，梁思成出任中央博物院中國建築石料編纂委員會主任，一九四二年，他開始編寫《中國建築史》，初稿兩年後完成。由於時值抗戰，財力物力上均面臨極大困難，加上書中所附插圖較多，當時無力付梓，書稿出版一事暫時擱置。一九四九年後不久，中國科學院編譯局曾建議將書稿出版，但梁思成考慮到應以歷史唯物主義的立場觀點重新修改，沒有同意當時出版。一九五三年起，梁思成開始在清華大學建築系為師生和若干建築設計部門的工作人員講授中國建築史，限於時間未能編寫新講義，於是終於將本書作為內部教學交流講義，於一九五四年油印五十本刊行。梁思成歷經多次政治運動，尤其是一九五五年建築界對「以梁思成為代表的資產階級唯美主義的復古主義建築思想」的批判，使其頗受觸動，深感一九四四年完成的這本《中國建築史》之不足，本擬重寫一本《中國建築史》，但最終由於種種原因，未能完成這一意願。

梁思成的《中國建築史》是中國建築史學研究初期階段的代表性學術成果。梁思成自二十世紀二〇年代負笈留美開始研究中國建築以來，就深感中國建築史料缺乏。這部完成於一九四四年的《中國建築史》，也可謂是對梁思成多年來研究工作和願望的一個交代。在本書中，梁思成取語言之譬喻，以柱額、斗拱等建築元素為「辭彙」，以施用這些建築元素的方式為「文法」，辭彙為經，文法為緯，交織成實在的建築。

梁思成寫作《中國建築史》的另一個重要背景是中國營造學社的建立及其工作的開展。自一九三二至一九四三年，作為民間學術團體的中國營造學社傾盡有限的人力財力，對中國十一省一百九十個縣市的共二千九百八十三處古建築做了現代意義的科學考察、測繪，並對照宋《營造法式》、清《工

東亞人文
100
CH-07

熊十力

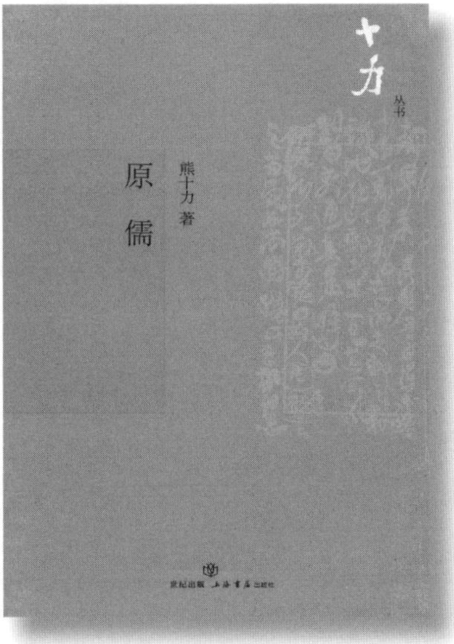

原儒

這是熊十力新儒學思想的代表作，寫於一九五四至一九五六年。本書「緒言」十分重要，作者於此介紹了自己學術思想的變遷和晚年的寫作計畫。作者自謂：「余年三十五，始專力於國學（實為哲學思想方面）。上下數千年間頗涉諸宗，尤於儒佛用心深細。竊歎佛玄而誕，儒大而正，卒歸本儒家《大易》。批判佛法，援入於儒，遂造《新論》。更擬撰兩書，為《新論》羽翼。曰《量論》，曰《大易廣傳》。兩書若成，儒學規模始粗備。」實際上主要介紹了自己打算撰著的《量論》和《大易廣傳》之基本綱要或構設。作者雖未完成《大易廣傳》，但有《原儒》和《乾坤衍》可代替；而《量論》未及作，則是作者的終身憾事。

「原學統」篇除一般地疏論內聖外王之外，又具體論述墨、道、名、農、法、儒諸家，論定儒為諸家之源。諸家或為科學之先導，或為社會主義之開山，皆儒家羽翼，道家有極深遠處。作者把儒家菁英思想與漢儒擁護帝制的三綱五常論、天人感應論、陰陽五行論剝離開來，甚至批評了曾子、孟子的孝道和治化論，認為他們滯於宗法社會思想。

「原外王」篇橫掃清末今古文經學兩派，認為廖平、康有為和孫詒讓、章太炎都不通。作者指出，孔子儒學的正宗是大道學派而不是小康學派。小康禮教畢竟不是大道之行、天下為公之禮教；小康之局未可苟安，當志乎大道，以達於天下一家、中國一人，方為太平世禮教之極則。作者認定，孔子外王學之真相，不是擁護君主統治與私有制，不是使下安其分以事上，而上亦務抑其狂逞之欲有以綏下的小康之治；而是同情天下勞苦小民，不容許統治階級與私有制存在，獨持天下為公、蕩平階級、實行民主，以臻天下一家、中國一人之盛的大道之治。在這裡，作者透露出均貧富、均智愚、均強弱，強調「均」與「聯」的絕對平均主義思想和空想社會主義的主張。

下卷「原內聖」篇，融合儒釋道思想，進一步擴展了《新唯識論》和《讀經示要》的主旨，闡明了「乾元性海」的意義。作者指出，中國哲學的特點，在本體論中是「天人不二」，在宇宙論中是「心物不二」。附錄〈六經是孔子晚年定論〉，名為考證，實則武斷孔子五十歲以前崇尚小康禮教，維護統治，五十以後思想突變，始作六經，發明大道之學。孔子歿後，儒學分化為大道、小康兩派。六國時小康派已盛，秦漢時更加普遍，六經因此而被竄改，大道之學失傳。

《原儒》 熊十力 著

初版／龍門聯合書局／1956

「十力叢書」／上海書店出版社／2009／150×230mm／348頁

作者簡介

熊十力（Xiong, Shili, 1885-1968）

原名繼智，字子真，號逸翁，晚年又稱漆園老人。湖北黃岡人。青年時代曾參加武昌起義和護法運動。一九二〇年入南京支那內學院研究佛學。曾在北京大學任教，抗戰期間講學於四川復性書院，晚年定居上海。一九四九年以後以「特別邀請人士」身分參加首屆中國人民政治協商會議，後被選為政協第二、三、四屆全國委員會委員。重要著作有《新唯識論》、《體用論》、《乾坤衍》、《十力論學語要》、《佛家名相通釋》等。

（郭齊勇撰）

東亞人文100
CH-08

王力

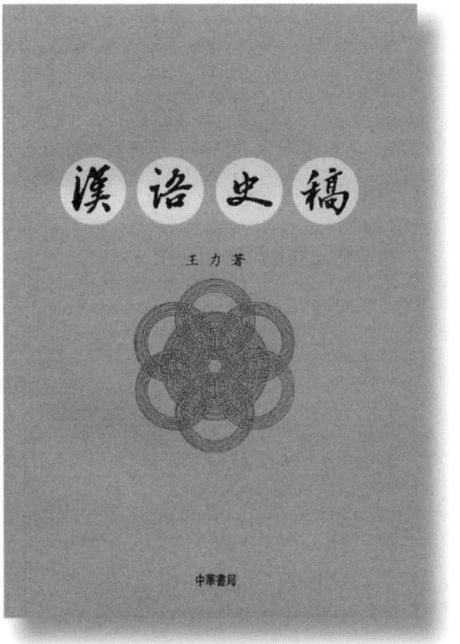

漢語史稿

包含文字、音韻、訓詁的小學是中國傳統學術的重要組成部分，不過，以「漢語」為對象的語言學研究，則是中國近現代以來新起的學術潮流。王力的《漢語史稿》以漢語史為研究對象，分語音、語法、詞彙三大部分，系統梳理討論了漢語的發展演變脈絡，自面世以來，一直是漢語研究與漢語史研究領域中的經典之作。

中國現代語言研究以《馬氏文通》為濫觴，後經白話文運動、國語運動等語言變革與新語言思潮的引入，針對「漢語」的語言學研究指向逐漸清晰。王力從事漢語言研究伊始，即確立了批判馬建忠將漢語與西方語言機械類比、要求研究漢語言文字固有之特點的學術思路。另一方面，王力從傳統文字、音韻等學科中汲取了大量資源，融會貫通於現代意義上的語言學科學研究中。《漢語史稿》就是在這樣的學術理路之下寫作出來的。

《漢語史稿》以語音、語法、詞彙三大部分為全書總結構，這已經是遵循了西方語言學原則的分類方式。王力在全書開頭的緒論部分，總括論述了漢語史的對象和任務、漢語史的研究方法、漢語史的根據等內容，這樣提出的總體方法論直到今天仍對中國語言學研究產生著深遠影響。王力提出，研究漢語史的主要原則有四：一、注意語言發展的歷史過程；二、密切聯繫社會發展的歷史；三、重視語言各方面的聯繫；四、辨認語言發展的方向。王力同時認為，歷史比較法是語言的歷史研究的重要方法之一。歷史比較法一方面可用來尋找語言的發展規律；另一方面，必須通過比較，漢語的內部規律和特性方能得以顯現。

王力雖然將漢語史定義為關於漢語發展的內部規律的科學，不過在此，「漢語」本身的定義卻闕如。應該說，漢語概念的出現和完成，是中國近現代以來受到西方政治、經濟、文化等各方面衝擊的後果之一，在西方語言的對照下，作為本國民族語言的「漢語」成為值得科學化、規範化的範疇；而又與近代以來民族國家的興起、民族主義的傳播，以及國語運動的展開等因素有密不可分的關係。王力雖然並未定義「漢語」的邊界，直接將其當成自明的概念，但通過歷史比較的方法，仍然透露出理論化、科學化本國語言的意圖。

由於歷史的原因，《漢語史稿》中的某些觀點在今天已經被證明是錯誤的，或者需要再探討。如該書結論部分認為漢語將拼音化的觀點，現在看來當然是對漢語發展方向的錯誤預測。不過瑕不掩瑜，《漢語史稿》即便在今天，仍然是系統性論述漢語發展史的重要著作，這是毋庸置疑的。

《漢語史稿》 王力 著

初版／科學出版社／1956／616頁

新版／中華書局／1980／140×202mm／728頁

作者簡介

王力（Wang, Li, 1900-1986）

語言學家。字了一。廣西博白人。一九一六年在博白高等小學任國文教員。一九二四年入上海南方大學學習，次年轉入上海國民大學。一九二六年考進清華大學國學研究院。一九二七年赴法國留學，獲巴黎大學文學博士學位。一九三二年回國，歷任清華大學、燕京大學、廣西大學、昆明西南聯合大學教授，嶺南大學教授、文學院院長，中山大學教授、文學院院長，語言學系主任。一九五四年調北京大學任教授，直至去世。

主要著作有《中國現代語法》、《中國語法綱要》、《中國音韻學》、《同源字典》、《漢語詩律學》、《詩詞格律十講》、《漢語史稿》、《古代漢語》（主編）等。

（沅欣撰）

湯用彤

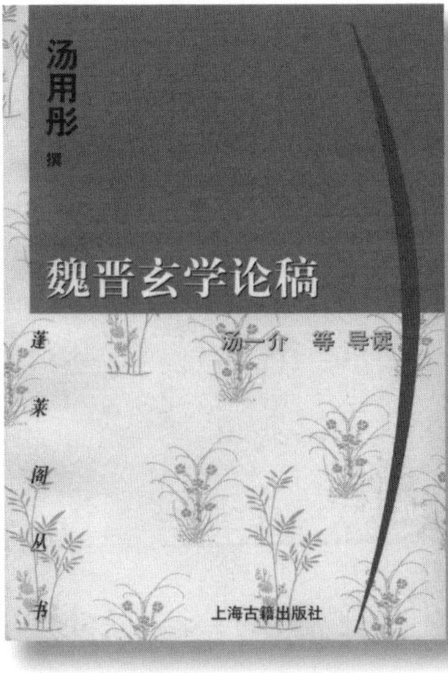

魏晉玄學論稿

據著者湯用彤的界定：「所謂魏晉思想乃玄學思想，即老莊思想之新發展。玄學因於三國，兩晉時創新光大，而常謂魏晉思想，然其精神實下及南北朝（特別南朝）。其所謂之特有思想與前之兩漢、後之隋唐，均有若干差異。而此一時代之新表現亦不限於哲學理論，而其他文化活動均遵循此新理論之演進而各有新貢獻。」（《魏晉玄學論稿》湯一介等導讀本頁一九四－一九五；按：此乃《論稿》新附篇語。）

照這樣界定，本書研究的範圍，涵蓋三國兩晉南北朝。倘由西元一九六年曹操開始「挾天子以令諸侯」算起，至五八九年隋滅陳，曾被湯用彤比作歐洲中世紀「黑暗時代」（前揭導讀頁三）的近四百年，中國除西晉王室內戰前有過短短二十年「一統」外，便是漫長的分裂與混亂。尤其從西晉末出現史所未有的民族大遷徙，昔日文明腹地由北疆諸族建立的大小帝國達二十多個，長江中下游也成中原士族的僑鄉。政治社會不斷改變，思想與信仰豈能恪守一旨？

當然，湯用彤治學是審慎的。字錫予的這位湖北黃梅人，畢業於清華學校，一九一八年負笈赴美，三年後獲哈佛大學哲學碩士，歸國任教。抗戰初隨北京大學西遷，先在長沙刊布《漢魏兩晉南北朝佛教史》；繼於昆明西南聯大寫出研究魏晉玄學的多篇論文，但遲至一九五七年始在北京結集出版，凡收一九四七年前發表的八篇論文和一篇演講稿。湯用彤時任北京大學副校長，並成社會活動家，因而《魏晉玄學論稿》初版「小引」，特別說明該書對王弼哲學思想「很加稱讚」，「但實是在主觀上同情唯心主義」云云，看來不僅出於環境造成的過度小心，也令讀者好奇並費猜詳。今本《論稿》，補充了湯用彤昔年在海內外大學講授提綱及學生聽課筆記共七篇，特別是闡述王弼至嵇康、阮籍的「貴無之學」的口說記錄三篇，部分地消解了學者讀其書的遺憾。

據湯一介、孫尚揚所撰導讀，湯用彤於一九四〇年所列該書初稿目次，有一目曰「五變」。而該書〈言意之辨〉章，劈頭便引章太炎說，可知湯用彤撰文必受章太炎漢晉間學術凡五變的啟迪。《論稿》未引魯迅，但該書論玄學，首推王弼，以專篇揭示王弼之《周易》、《論語》「新義」，無疑承認何晏《論語集解》乃王弼認知孔子的來源之一。《論稿》將王弼、何晏著重發揮的「貴無」義理，抬到哲學創見的高度，顯然又超越了章魯師弟。至於《論稿》或許借助美國的分析哲學方法，與佛學哲理及清代經史考證傳統相結合，而使魏晉玄學研究推陳出新，但見問題有人提出，尚未見可以徵信的論證。

《魏晉玄學論稿》 湯用彤 著

初版／人民出版社／1957

「蓬萊閣叢書」／上海古籍出版社／2001／139×203mm／278頁／湯一介等導讀

【目次】

作者簡介

湯用彤（Tang, Yongtong, 1893-1964）

中國哲學史家、佛教史家、教育家。一九一七年畢業於清華學校，一九二二年獲美國哈佛大學哲學碩士學位。回國後歷任東南大學、南開大學、中央大學、北京大學、西南聯大教授。一九四九年以後歷任北京大學副校長、中國科學院哲學社會科學部委員。畢生致力於中國哲學史、中國佛教史、魏晉玄學、印度哲學史的研究和教學。主要著作有《漢魏兩晉南北朝佛教史》、《隋唐佛教史稿》、《往日雜稿》、《康復札記》、《印度哲學史略》等。

（朱維錚撰）

翦伯贊

普通高等教育"十一五"国家级规划教材
中国史纲要
THE ESSENTIAL HISTORY OF CHINA
（增订本）上
翦伯赞 主编
北京大学出版社
PEKING UNIVERSITY PRESS

中國史綱要

如今仍被很多大學選作中國通史教科書的《中國史綱要》，於一九六二年起分冊陸續問世，但遲至一九七九年初版四冊才出齊，而此時，全書主編翦伯贊已在十年前（一九六八年）含冤去世了。

當一九七九年《中國史綱要》初版四冊完整出版時，鄧廣銘撰〈關於本書的幾點說明〉，寫道：「一九六二至一九六六年，（本書）先後出版了第三、第四和第二冊。在寫作、討論過程中，翦伯贊同志經常就體例、理論運用和史料鑑別等問題與編寫組同志們反覆商討，最後定稿時，他還要字斟句酌地進行推敲。這些，都充分體現了他作為主編的認真負責的精神和對歷史科學的嚴肅態度。」這個描述是符合事實的。

我在二十世紀六〇年代初期承乏復旦大學歷史系本科中國通史的秦漢至宋遼金段落的講授，適值《中國史綱要》二、三冊出版，面臨教材的選擇問題。留校任教以後，被周予同師指定擔任大學文科教材《中國歷史文選》的主編助手，而全國高等學校文科教材編選辦公室的歷史組組長就是翦老。這迫使我格外注意他的史學見解。當時特別有興趣的，是他關於歷史主義與階級觀點相關度的詮釋。及至讀到《中國史綱要》諸分冊，以為的確在向「論從史出」方面努力，遂作為指定教材向學生介紹。

翦伯贊籍屬湖南桃源，或有近代湖南人同具的「蠻勇」。他出身於湘西維吾爾族的軍功世家，早年就投身革命，年屆不惑便成為中共地下黨員（一九三七），隨即拿筆做投槍，四十歲即發表〈歷史哲學教程〉，特別強調研究歷史只能是「為了改變歷史，創造歷史」。接著他發表〈中國史綱〉，作為《教程》的註腳。一九四九年以後，由北京大學歷史系主任，晉升為副校長兼黨委委員，又任《北大學報》及《光明日報》史學版主編。應該說，在一九五八年前，他已成為中國史學界的一面「紅旗」，在人文學界影響巨大。

從一九五九至一九六三年的五年裡，翦伯贊突然轉型，由主流史學的旗手，變為主流史學的諍友，被與吳晗一併列為鑽進中共黨內的「資產階級史學」的代表，被江青等誣作「霸占史學陣地」的頭目。這個過程，迄今缺乏從歷史本身說明歷史的研究。

《中國史綱要》　翦伯贊　主編

人民出版社／1979（全四冊）／145×190mm／850頁

增訂本／北京大學出版社／2006（上下冊）／152×228mm／738頁

【目次】上冊／第一章　史前時代／第二章　夏與商／第三章　西周、春秋與戰國／第四章　秦漢時期／第五章　三國兩晉南北朝時期／第六章　隋唐時期／下冊／第七章　五代十國宋遼金元時期／第八章　明清（鴉片戰爭以前）時期／第九章　近代時期上（一八四〇─一八六四年）／第十章　近代時期中（一八六四─一八九四年）／第十一章　近代時期下（一九〇一─一九一九年）（按：此為北京大學出版社二〇〇六年增訂本目次）

編者簡介

翦伯贊（Jian, Bozan, 1898-1968）

歷史學家。湖南桃源人。維吾爾族。一九一九年武昌商業專門學校畢業。一九二六年參加北伐軍政治工作。一九三七年加入中國共產黨。一九四九年以後，任北京大學教授、副校長，中科院哲學社會科學部委員，《北京大學學報》主編等職。主要著作有《歷史哲學教程》、《中國史論集》、《歷史問題論叢》等。

（朱維錚撰）

東亞人文100

CH-11

李澤厚

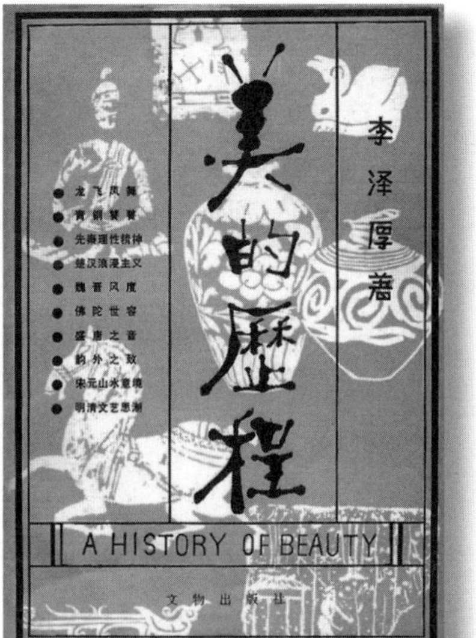

美的歷程

《美的歷程》不僅在李澤厚先生的各種著述中，而且在中國美學論著中都是極有價值的一本著作。哲學家馮友蘭說：《美的歷程》是部大書（應該說是幾部大書），是一部中國美學和美術史，一部中國文學史，一部中國哲學史，一部中國文化史。

《美的歷程》起先曾以《關於中國古代藝術的札記》為題，在上海文藝出版社的《美學》（一九八〇年第二期）上發表了前三章。一九八一年全書出版，共分十章，每一章評述一個重要時期的藝術風格或某一藝術門類的發展。

李澤厚的文字華美流暢，比如此書的開篇：

中國還很少專門的藝術博物館。你去過天安門前的中國歷史博物館嗎？如果你對那些史實並不十分熟悉，那麼，做一次美的巡禮又如何呢？那人面含魚的彩陶盆，那古色斑斕的青銅器，那琳琅滿目的漢代工藝品，那秀骨清像的北朝雕塑，那筆走龍蛇的晉唐書法，那道不盡說不完的宋元山水畫，還有那些著名的詩人作家們屈原、陶潛、李白、杜甫、曹雪芹……的想像畫像，它們展示的不正是可以使你直接感觸到的這個文明古國的心靈歷史麼？時代精神的火花在這裡凝凍、積澱下來，傳留和感染著人們的思想、情感、觀念、意緒，經常使人一唱三歎，流連不已。我們在這裡所要匆匆邁步走過的，便是這樣一個美的歷程。

《美的歷程》並不是一部一般意義上的藝術史著作，重點不在於具體藝術作品的細部賞析，而是以作者自己的思想體系「人類學歷史本體論」的美學觀，把審美、藝術與整個歷史進程有機地聯繫起來，揭示出各種社會因素對於審美和藝術的作用和影響，對中國古典文藝的發展做出了概括性的分析與說明。其中提出了諸如原始遠古藝術的「龍飛鳳舞」，殷周青銅器藝術的「獰厲的美」，先秦理性的「儒道互補」，楚辭、漢賦、漢畫像石之「浪漫主義」，「人的覺醒」的魏晉風度，六朝、唐、宋佛像雕塑、宋之山水繪畫以及詩、詞、曲各具審美的三品類，明清時期小說，戲曲由浪漫而感傷而現實之變遷等等重要觀念，多發前人之所未發。此書自二十世紀八〇年代初出版以來，風行一時，多次再版重印，被列為青年必讀書目，引領一代又一代人步入美的殿堂。

《美的歷程》 李澤厚 著

文物出版社／1981／145×210mm／204頁

【目次】

作者簡介

李澤厚（Li, Zehou, 1930-）

哲學家。湖南長沙甯鄉縣道林人，一九五四年畢業於北京大學哲學系，現為中國社會科學院哲學研究所研究員、巴黎國際哲學院院士、美國科羅拉多學院榮譽人文學博士，德國圖賓根大學、美國密西根大學、威斯康辛大學等多所大學客座教授。主要從事中國近代思想史和哲學、美學研究。主要著作有《批判哲學的批判》、《中國古代思想史論》、《中國近代思想史論》、《中國現代思想史論》、《論語今讀》、《歷史本體論》等。

（舒煒撰）

東亞人文100

CH-12

胡繩

從鴉片戰爭到五四運動

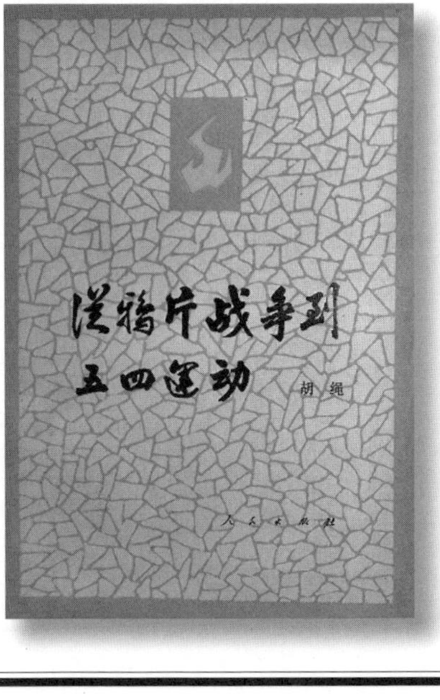

本書是中國近代史研究中的「革命史敘述」的典範之作。它以飽滿的歷史敘述論述了鴉片戰爭至五四運動期間發生的三次革命高潮，也就是「太平天國——戊戌變法和義和團運動——辛亥革命」。作者既注意每一次革命發生和發展的自我脈絡及其偶然性，也在宏觀的政治、社會、經濟、思想等等大背景中展示革命本身的必然性，同時還特別注意梳理三次革命高潮內在的關聯性。為此，作者不僅僅是一般地論述了不同歷史時期的經濟變化、政治形勢、國際衝突和思想流變及在此之中形成的波瀾壯闊的革命高潮，他往往尤其著力去書寫有各階層普遍參與的如同星星之火般的各種社會性的起義、鬥爭和運動。在宏觀視野下的這些微觀論述，不但輔助了革命的大敘事，重要的是還具體而細緻地彰顯了每一個時期每一場鬥爭的運動勢態。革命的大變遷正是通過這些起義、鬥爭和運動激起的浪花而實質性地形塑的。作者既分析了每一次革命在具體過程中由於各種因素所存在的空想性與落後性，或軟弱性和動搖性，卻又把每一次革命在中國近代史上發揮出來的重大作用視作根本性的東西，認為正是革命激勵著和推動著中華民族在帝國主義的環伺下不斷向前發展而不至沉淪下去。這種革命的意義不是任何單純的現代化論述所能取代的。

作者的理論視角是馬克思主義的階級觀。一九四九年以後，以階級觀來論述歷史，是當時歷史研究的主流。胡繩的獨特之處在於：通過深入歷史的具體情境中的種種鬥爭，他真切地展示出來「內外階級關係經過戰爭而發生的變化及其發展趨勢」，從而顯示出階級觀歷史論述的複雜性和生動性，而不是像同一時期的許多其他論著那樣流於武斷和機械。在二十世紀七〇年代末期以降的改革時代，階級話語已經基本消失，這種以馬克思主義階級觀論述中國近代歷史的方式格外引人注目。

本書的著述方式也很特別，絕非一般俗套可比。作者在表面上的現代章節體中很有古代私人修史的敘事風格，很少單純堆砌史料，而是採取對歷史事件和歷史人物進行具體分析的方法，宏觀和微觀結合得恰到好處，渾然天成。全書文筆生動流暢，議論精到透徹，既引人入勝，又啟人心智。

《從鴉片戰爭到五四運動》 胡繩 著
人民出版社／1981／140×203mm／696頁

作者簡介

胡繩（Hu, Sheng, 1918-2000）

蘇州人。一九三四年入北京大學哲學系學習。一九三七年後，歷任武漢《全民週刊》等刊物編輯，鄂北日報社主編，生活書店編輯，《讀書月報》主編。一九四一年在香港任《大眾生活》編輯。

一九四二年後，在重慶任新華日報社編委。一九四六年後，任香港生活書店總編輯。一九四九年後歷任人民出版社社長、政務院出版總署黨組書記、中共中央宣傳部祕書長、中共中央政治研究室副主任、紅旗雜誌社副總編輯、毛澤東著作編委會辦公室副主任、中共中央文獻研究室副主任、中共中央黨史研究室主任、中國社會科學院院長、中國人民政治協商會議全國委員會副主席等職。著有《中國共產黨的七十年》、《現實主義當代流變史》等。

（王悅撰）

東亞人文100

CH-13

錢鍾書

談藝錄（補訂本）

《談藝錄》寫成之時，沒有分立章次，是一本初看類似古代詩話、筆記體裁的著作。一九四八年初版時，編輯周振甫為之標定細目，錢鍾書只是粗粗審閱一過。二十世紀八〇年代初，中華書局刊行新版，錢鍾書則又做了仔細的補訂，於原書做了修改，刪去細目，重新擬定標題，分全書為九十一則，確認了該書的主體。初讀此書極易被錢鍾書大量豐富多彩的引文所吸引，無暇顧及錢鍾書的旨趣。其實，錢氏引文或是先標己意，再求諸典籍；或是先引典籍，引出議論，或證或駁，層層引申，邏輯和材料上都極其周密。各章節之間有承有轉，都圍繞著一個更大的問題展開，這個總的問題，就是該書開篇第一則所標明的——「詩分唐宋」，《談藝錄》全書可看做是這一則的不斷擴展、不斷豐富的過程。

第一則確立該書所談是所謂「風格」問題，即「詩分唐宋，乃體格性分之殊，非朝代之別」。並引諸文獻，互相發明，又標識出歷史發展，「故自宋以來，歷元、明、清，人才輩出，而所作不能出唐宋之範圍，皆可分唐宋之畛域。唐以前之漢、魏、六朝，雖渾而非劃，董而不發，亦未嘗不可以此例之」。接著又引發出「風格」與人的關係：「夫人稟性，各有偏至。發為聲詩，高明者近唐，沉潛者近宋」，又考察其中變化：「且又一集之內，一生之中，少年才氣發揚，遂為唐體，晚節思慮深沉，乃染宋調」，錢鍾書由論「風格」展開了對「性情」、「才學」、「變化」等相關問題的多種考慮。

第二則說明寫作本書緣由，陳述自己的方法是「妄企親炙古人，不由師授。擇總別集有名家箋釋者討索之……以注對質本文，若聽訟之兩造然；時復檢閱所引書，驗其是非。欲從而體察屬詞比事之慘澹經營，資吾操觚自運之助」。並以黃庭堅詩為例，牛刀小試，補充原先註解的不足和未明之處。

第三則論近代人詩。錢鍾書把近代幾位人物的詩放在一起，詳細區分。譬如黃遵憲、嚴復、王國維等人。由此，前面第一則的問題被鋪開到一個更大的層面上，涉及古今、中西、新舊的大問題了。

第四、第五則在前面論述的基礎上，考察「變化」問題。仔細探討了文體的遞變、興衰，詩與樂的離合，詩與文的關係，詩與史的關係，表彰八股文的文體特點，研究駢體文的興衰，駁斥流行的「駢文衰亡」的論點。在「文體演變意識」的關注下，又具體分析個人的「性情與才學」的作用，洞見迭出，精義紛呈。同第一則相關聯，也就表明「風格」在很大程度上是一個「文體」問題。

第六則中心論點與前五則仍直接相關，是借王漁洋的「神韻說」，考慮詩歌的「境界」。結合錢氏三〇年代的〈中國固有文學批評的一個特點〉，指明「神韻乃詩中最高境界」，並做了詳盡闡發。

由此我們可以說，這前六則是《談藝錄》的全書提要。錢鍾書由「風格」入手，引發各種問題——「性情與才學」、「變化」、「古今中西新舊」、「文體」和「詩歌境界」等等。對這些問題的關注也就貫穿全書，在各個細微之處展開，逐漸延拓，充分展示了錢鍾書廣博精微的學識和觀察分析能力。值得注意的是，錢鍾書說過：「我想探討的是，只是歷史上具體的文藝鑑賞和評判。」《談藝錄》中精見卓識很多，但錢鍾書並不由此試圖做一抽象的結論。

《談藝錄》（補訂本）　錢鍾書　著
中華書局／1984／150×230mm／608頁

作者簡介

錢鍾書（Qian, Zhongshu, 1910-1998）

字默存，號槐聚，筆名中書君。江蘇無錫人。一九三三年畢業於清華大學外文系；一九三五年赴英國牛津大學學習，後至法國巴黎大學研究法國文學。一九三八年回國後先後任昆明西南聯大、暨南大學教授，中央圖書館外文部總編纂。一九四九年以後任清華大學教授、中國科學院文學所研究員、哲學社會科學部委員、中國社會科學院副院長。文學作品有長篇小說《圍城》、短篇小說集《人・獸・鬼》、散文集《寫在人生邊上》；學術著作有《談藝錄》、《管錐編》、《宋詩選注》等。

（舒煒撰）

蘇淵雷

佛教與中國傳統文化

還在一九四九年七月，蘇淵雷先生便發表論綱〈大乘佛法與新唯物論〉，「試就世界觀、社會觀、人生觀三方面，說明佛法與馬恩哲學的相通性與一致點」。在他看來，兩者都是歷史發展的產物，因而佛法於中古、馬恩哲學於近代，傳入中國，都實為時代所必需，也表明中國有「采善於人，成就勝義」的傳統，既非「襲取」即照抄外來義理，亦異「取消」即拋棄固有文化。

不待說，蘇淵雷當年如此以佛學表徵中國傳統文化，顯然不合時宜。因此他除了繼續一九四三年著《玄奘》一書的思路，於一九五一年發表〈關於玄奘研究的若干問題〉這篇以歷史考證闡述義理的力作以外，便對他認定的「佛教、佛法、佛學三者異名而同實」的中國化歷史，保持沉默。

以往我但知這位前輩文史兼通、書畫俱佳。及至一九八三年，承乏《中國文化史叢書》編委會常務工作，甚為佛學特別是禪宗與中國文化關係的組稿發愁。忽見蘇淵雷署名的〈近代我國佛學研究的主要傾向及其成就〉、〈佛學在中國的演變〉、〈佛學與中國傳統文化〉等宏文，既驚且喜，遂冒昧投書求見。

不料蘇先生得函即光臨寒舍。可惜當時叢書編委會規定不收論文集，令我不得不懇請老人將論文改寫為專著。這是不情之求，非學術與政教活動甚多之老人能迅即完成。於是《佛教與中國傳統文化》一書，遂由湖南教育出版社於一九八八年刊行，嗣後收入華東師範大學出版社於二〇〇八年出齊的《蘇淵雷全集》第五卷。據該全集附載的蘇氏年譜，蘇淵雷的佛學史研究，始於一九四二年，至一九五一年便中輟，時過三十年才舊事重提。收入這部結集的論文九篇，除前揭關於大乘佛法及玄奘研究作於一九五〇年初前後以外，另七篇均作於一九八二至一九八六年間。

全書的結構，首為佛教在古印度的創化史及東傳華土的演變史，將紛繁的史跡梳理得一目了然，繼而分述佛學在華對古典哲學、文學和建築、雕塑、繪畫等古典藝術的影響，令人得知自漢唐至明清不斷變異的傳統文化，的確是中國與域外的智慧才華的世代交融結晶。接著為華土佛學的三篇個案研究，著者以深厚的考據功力和善於別擇的史筆，不僅清晰陳述了玄奘求法弘法的傳奇一生，更使〈禪宗史略〉二篇，迄今仍屬海內關於中國化佛教的最佳普及作品。同樣，〈中日僧侶學人對促進兩國文化交流的偉大貢獻〉這篇長文，堪稱中國現代學者從復原歷史的角度，表達「日中一衣帶水隔，只應兼愛誦非攻」的心願體現。著者為佛教居士，書末強調「識得自性便是佛」，重申清末民初楊文會、章太炎、梁啟超等的一個共識，即佛法有助於人們自我觀照，利於知天又知人，也是他企求「以史為鑑」而寓意此書的歸結。

因此，《佛教與中國傳統文化》一書，堪稱一九四九年以前由中年晉老輩的學者代表作之一，大概是實事求是的判斷。

《佛教與中國傳統文化》　蘇淵雷　著

湖南教育出版社／1988／145×190mm／156頁

【目次】佛學在中國的演變／佛學與中國傳統文化／關於玄奘研究的若干問題／禪宗史略／禪風・學

風・文風——《五燈會元》新探／中日僧侶學人對促進兩國文化交流的偉大貢獻／近代我國佛學研究的主要傾向及其成就／大乘佛法與新唯物論／識得自性便是佛——讀黃蘗《傳法心要》

作者簡介

蘇淵雷（Su, Yuanlei, 1908-1995）

浙江蒼南人。原名中常，字仲翔。曾任上海世界書局編輯所編輯、中央政治學校教員、立信會計專科學校國文講席、中國紅十字總會祕書兼第一處長等職。一九四九年以後，為上海華東師範大學教授、中國佛教協會常務理事。專治文史哲研究，對佛學研究獨到，尤悉禪宗。主要著作有《名理新論》、《玄奘》、《佛教與中國傳統文化》等。

（朱維錚撰）

譚其驤

簡明中國歷史地圖集

二十世紀五〇年代由中國社會科學院主辦，復旦大學、中國社會科學院、中央民族學院、國家測繪局、南京大學、雲南大學、武漢測繪科技大學、中國地圖出版社等單位共同合作的《中國歷史地圖集》開始編繪，主編是譚其驤教授。一九七三年完成初稿，一九八二年開始陸續公開出版，一九八七年八冊出齊。

全八冊依次為：第一冊：原始社會．夏．商．西周．春秋．戰國時期；第二冊：秦．西漢．東漢時期；第三冊：三國．西晉時期；第四冊：東晉十六國．南北朝時期；第五冊：隋．唐．五代十國時期；第六冊：宋．遼．金時期；第七冊：元．明時期；第八冊：清時期。

《中國歷史地圖集》以歷史文獻資料為主，吸收了至當時已發表的考古研究成果，包括了中國自商周至清代全部可考的縣級和縣級以上的行政單位，主要的河流、湖泊、山脈、山峰、運河、長城和海岸線、島嶼；除中原王朝，還包括了各兄弟民族在歷史上建立的大小邊疆政權，完整地體現了中國各歷史時期的疆域、政區、城市、重要村鎮和自然地理面貌。所有的地圖都以今天的地圖為底圖，分色套印，古今對照，並附有地名索引。圖集以分幅圖為主體，共有二十個圖組，三百零四幅圖，五百多頁，分訂為八冊。

《簡明中國歷史地圖集》是以八冊《中國歷史地圖集》為基礎編成的。譚其驤在〈前言〉中談到，《簡明中國歷史地圖集》「刪去了原來的主體部分分幅圖，專收歷代的全圖，使讀者手持一冊，就能窺見中國幾乎幾千年中歷代疆域政區變化的概貌」。全集下迄清代，《簡明中國歷史地圖集》則增加了兩幅中華民國時期的全圖，包含的歷史時代更加完備。同時，每幅圖均附以兩三千字的說明，使讀者對中國歷代王朝與政權的興衰嬗變及政區劃分有概括的了解，也獲得與地圖相互闡發的基本中國歷史地理知識。

《簡明中國歷史地圖集》　譚其驤　主編

中國地圖出版社／1991／190×260mm／126頁

【目次】中華人民共和國全圖／原始社會遺址圖／夏時期全圖／商時期全圖／西周時期全圖／春秋時期全圖／戰國時期全圖／秦時期全圖／西漢時期全圖／東漢時期全圖／三國時期全圖／西晉時期全圖／東晉十六國時期全圖／附十六國／宋　魏時期全圖／齊　魏時期全圖／梁　東魏　西魏時期全圖／陳　周時期全圖／隋時期全圖／唐時期全圖（一）／唐時期全圖（二）／唐時期全圖（三）／元和方鎮圖／五代十國時期全圖／五代十國時期分國圖／遼　北宋時期全圖／金　南宋時期全圖（一）／元時期全圖（一）／明時期全圖（一）／中華民國時期全圖（一）／金　南宋時期全圖（二）／元時期全圖（二）／明時期全圖（二）／中華民國時期全圖（二）／清時期全圖（一）／清時期全圖（二）／地名索引

編者簡介

譚其驤（Tan, Qixiang, 1911-1992）

浙江嘉興人，一九三四年與顧頡剛等發起組織「禹貢學會」，創辦《禹貢》半月刊，開展中國歷史地理和邊疆地理研究。開設中國邊疆沿革史、中國歷史地理要籍研究等課程，培養了一批中國歷史地理和邊疆地理研究者。還開展中國政治地理、水文歷史地理等多方面的研究工作。一九五九年創辦復旦大學中國歷史地理研究室，任主任。一九五五年開始主持《中國歷史地圖集》的編繪和研究工作。主編的《中國歷史地圖集》全八冊於一九八七年出齊。

（舒煒撰）

陳旭麓

近代中國社會的新陳代謝

還在二十世紀七〇年代末，我曾與陳旭麓先生共事三年，已知他對中國近代史有不少異見。但時至一九九三年，即他猝逝三年有餘之後，初讀他的遺著《近代中國社會的新陳代謝》，才知他的異見不異，這部著作堪稱以馬列主義史觀為指導，研究近代中國社會歷史演變過程的一朵奇葩。

陳旭麓一九一八年生於湖南湘鄉。二十五歲於貴陽大夏大學畢業前的一年，便因出版《本國史》而引人矚目。以後輾轉任教於中學和大學。三十四歲時（一九五二年）參與籌建華東師範大學，並在歷史系任副教授，迅即在中國近代史領域嶄露頭角，曾因主編《中國新民主主義革命時期通史》的文化部分而享譽學界。晚年筆耕越發勤奮，發表〈論中體西用〉等論文近百篇，多數篇章均在海內外學界引發積極迴響。

據《近代中國社會的新陳代謝》一書的馮契序和整理後記，陳旭麓自一九七八年為華東師大研究生開設同名課程，講授並構思此書體系，歷時十年，留下講稿二十餘萬字。因而在他去世四年後，由上海人民出版社刊行的這部遺著，全書三十萬字，應該說基本內容出於陳旭麓生前的筆述口授。

「新陳代謝」原屬於生物學名詞。自晚清隨進化論輸入中國，至遲在二十世紀初便被新學界普遍接受。還在民國元年（一九一二）季春，上海的《時報》便刊出以「新陳代謝」為題的論文，宣稱「共和政體成，專制政體滅；中華民國成，清朝滅」等等二十多種現象，都表明中國正經歷全面的新陳代謝過程。

於是通觀《近代中國社會的新陳代謝》這部書，令人感到史與論常相悖，但述史既揭露若干實相，立論也不悖於歷史真實。如此論說，恰為從矛盾的歷史陳述中間清理出歷史真相，提供了相反相成的印證。

《近代中國社會的新陳代謝》 陳旭麓 著
上海人民出版社／1992／145×200mm／418頁

作者簡介

陳旭麓（Chen, Xulu, 1918-1988）

湖南人。一九四三年畢業於大夏大學文學院歷史社會學系。曾任大夏大學副教授。一九四九年以後歷任華東師範大學歷史系副主任、研究生處處長、副教務長、教授，《辭海》編委會委員及分科主編，中國現代史研究會第一、二屆副會長。發表論文一百餘篇。著有《辛亥革命》，合編《中國新民主主義革命時期通史》，主編《中國近代史叢書》、《中國近代史詞典》等。出版有《陳旭麓文集》。

（朱維錚撰）

李學勤

李学勤 / 著
LIXUEQIN
走出疑古时代
WALKING OUT OF THE "DOUBTING OF ANTIQUITY" ERA

走出疑古時代

本書是作者的一部論文集，書名取自作者在一次學術座談會上的發言整理稿的題目。晚清以來的疑古思潮對於中國古代歷史和典籍的研究產生了深刻的影響，但是自二〇世紀七〇年代以來，大量戰國秦漢簡帛書籍重新面世，不僅提供了眾多久已亡佚的文獻資料，而且提供了一些目前尚有傳本的古書的早期本子，使學者們對古書的真偽、時代和源流等方面的問題有了進一步的認識，也由此認識到疑古思潮在古代典籍的真偽等方面造成了很多的冤假錯案。

本書作者長期從事出土材料與傳世文獻的對比研究，二〇世紀七〇年代以後又參加了多批新出土簡帛的整理工作，對於考古資料與傳世文獻均極為熟悉。在研究過程中，作者深感以往囿於疑古觀念，對於中國古代文明的評價往往偏低，因此在一九八一年曾提出「重新估價中國古代文明」的主張，提出應把考古學的成果和文獻的科學研究更好地結合起來，對中國古代文明做出實事求是的重新估計。而要重新估價中國的古代文明，必然涉及在方法論層面上擺脫原來盛行的疑古思想的束縛。作者隨後曾撰有〈對古書的反思〉一文，結合整理出土簡帛的經驗，指出古書的形成每每經過了很長的過程，許多古籍往往經過較大的改動變化，才最後定型，如果以靜止的眼光看古書，不免有很大的誤會，因此很多的古書是很難用「真」、「偽」二字來判斷的。在這些認識的基礎上，二〇世紀九〇年代，作者又進一步宣導「走出疑古時代」。作者充分肯定晚清以來的疑古思潮在中國現代思想史上的進步意義，但他也同時指出，疑古思想本身所表現的思路上的不足，以及一些負面作用也不容漠視，當前的學術界在某些方面還沒有從「疑古」的階段脫離出來，因此需要「走出疑古時代」。

作者實際上是從理論層面總結了考古發現所帶來的深刻影響，強調在新的歷史時期中國早期文明的研究需要在方法論方面進行一番變革。作者在本書各篇文章中主要結合各種最新考古發現，對中國古代文明的許多具體問題進行了深入探討。作者借用馮友蘭「釋古」的提法，主張把古書的記載與考研的成果結合起來，再上升到理論的高度來研究古史。「走出疑古時代」的提法產生了廣泛而深刻的影響，並在學術界引起了長期而熱烈的討論。

《走出疑古時代》李學勤　著

初版／遼寧大學出版社／1994
修訂本／遼寧大學出版社／1997
新版／長春出版社／2007／175×235mm／244頁

【目次】出版說明／自序／導論　走出疑古時代／第一篇　論古代文明／第二篇　神祕的古玉／第三篇　新近考古發現／第四篇　中原以外的古文化／第五篇　海外文物拾珍／第六篇　續見新知／附錄　本書所收論文出處／一九九四年版後記／一九九七年修訂本跋／新版書後（按：此為長春出版社二〇〇七年新版目次）

作者簡介

李學勤（Li, Xueqin, 1933-）

歷史學家、考古學家、古文字學家。出生於北京，就讀於清華大學哲學系。一九五二至一九五三年在中國科學院考古研究所參加編撰《殷墟文字綴合》。一九五四至二〇〇三年在中國科學院（後屬中國社會科學院）歷史研究所工作，歷任研究實習員、助理研究員、研究員，一九八五至一九八八年任副所長，一九九一至一九九八年任所長。二〇〇三年到清華大學工作，現任清華大學歷史系教授、出土文獻研究與保護中心主任、國際漢學研究所所長，中國先秦史學會理事長，楚文化研究會理事長，「夏商周斷代工程」首席科學家、專家組組長。一九八六年被推選為美國東方學會榮譽會員，一九九七年當選為國際歐亞科學院院士。研究領域主要集中在中國先秦史和古文字學，涉及甲骨學、青銅器研究、戰國文字研究和簡帛學等各方面，取得了眾多的學術成果。發表學術論文八百多篇，專著二十餘部。主要著作有《殷代地理簡論》、《東周與秦代文明》、《新出青銅器研究》、《重寫學術史》、《中國古代文明研究》等。

（劉國忠撰）

王銘銘

村落視野中的文化與權力

閩台三村五論

本書是王銘銘五篇早期學術論文的合集，其材料來自於作者進行了長期田野考察的閩台三個村落，其中福建兩個，美法村是典型的閩南山區家族村落，相對而言較為自足和封閉；塘東村在濱海地區，與海外華僑的聯繫頗為緊密，也表現出家族化的特點；台灣的石碇村與上述兩個村莊相比，處於完全不同的政治歷程之下，且以非家族的地緣性組織和宗教社團為主要特徵。雖然各論文的主題不一，但通過對三村的論述，王銘銘提出了富有人類學意味的集中思考：村落中的本地知識如何構成對現代性話語的反思？傳統是作為現代的對立面存在還是本身可以成為現代生活的重要資源之一？

美法村研究之一是，通過社區史的敘述框架考察家族制度與國家的互動，指出在地方社區的制度和實踐中可以清晰地發現大傳統和國家影響的痕跡，並且傳統家族組織形式在當代世界仍然具有重要的存在意義；之二則討論了作為社會本體論的村莊中的「幸福」觀，試圖以此調和馬克思和傅柯關於幸福的社會理論，並對現代政治經濟學中的實用主義傾向進行反思。塘東村的研究直接切入傳統與現代二分的議題，認為地方傳統自身包容了豐富的內容，因此並不會輕易為現代化所取代，而是在近代的變遷中不斷地再生產，在社區生活中延續它的支配性地位。通過對美法和塘東兩村的綜合考察，王銘銘還討論了漢人民間的互助模式，認為其是市場論和國家論之外另一種自成體系的社會福利制度，根植在地方傳統之中，具有應對社會變遷的調適能力。石碇村研究通過地方頭人生活史的描述，指出韋伯所指明的三種權威類型——神異型、傳統型和法理型——本身不可區分，並且為民間權威人物所綜合運用，所謂現代社會對傳統社會的取代也並不必然對應於權威類型的更迭。兩篇附錄主要闡述社會人類學方法論上的思考，分別涉及引入多元史觀和對社區研究方法的反思等議題。

王銘銘的主要貢獻在於，他是中國人類學界最早清晰地意識到功能主義人類學理論局限的一批人之一，在自己的研究中實現了歷史與共時性的深度結合。他的村落研究不僅是漢學人類學脈絡內部的推進，更重要的是以地方性知識發起了對西方主流現代化理論的挑戰。與其說王銘銘是一個民間傳統的「拯救者」，不如說他雄辯地揭示了民間傳統自身的澎湃動力以及在當代世界的樂觀前景。

《村落視野中的文化與權力：閩台三村五論》　王銘銘　著

生活・讀書・新知三聯書店／1997／140×190mm／408頁

【目次】

作者簡介

王銘銘（Wang, Mingming, 1962-）

福建泉州人。一九八一年入廈門大學人類學系，一九八七年負笈倫敦大學東方非洲學院（SOAS），一九九三年獲得人類學博士學位。先後在倫敦城市大學、愛丁堡大學從事博士後研究，曾任台灣中央研究院民族學研究所訪問學者，美國芝加哥大學訪問教授，現為北京大學人類學教授，中央民族大學特聘教授，復旦大學社會科學高等研究院雙聘教授，歐洲跨文化研究院學術委員，《中國人類學評論》主編及部分海外學術雜誌編委。

王銘銘早年主要關注漢人社會的城市和村落研究，後轉向「天下觀」的人類學思考，一是提出漢語人類學「海外民族志」的看法，二是以「藏彝走廊」少數民族地區的研究為基礎，著力於探討文明之間的互動關係。主要著作有：《社會人類學與中國研究》、《逝去的繁榮》、《王銘銘自選集》、《人類學是什麼》、《草根卡里斯瑪》（合著，英文）、《走在鄉土上》、《溪村家族》、《西學「中國化」的歷史困境》、《西方作為他者》等學術論著，另有學術思想隨筆集多部。

（鄭少雄撰）

東亞人文
100
CH-19

趙園

明清之際士大夫研究

作為「文革」後成長起來的一代學人中的代表人物，趙園的學術經歷了從現代朝向明清、文學朝向思想史的轉變。《明清之際士大夫研究》即是趙園轉型後的代表作。

明清之際是中國歷史上極為重要的一個時期，在朝代更替的大變革之上，還有華夷之變的衝擊。此一時期湧現出的大量思想家如黃宗羲、顧炎武、王夫之，則不僅成為中國思想歷史的財富，也開啟了晚清以降思想學術的新傳統。《明清之際士大夫研究》的關注點主要在於這個特殊時期的知識分子階層——士大夫群體——的狀態，主要分為「士人話題研究」和「明遺民研究」上下兩編，為進入這一歷史時期提供了許多獨特視角。

趙園由文學而入思想史，因此得以避免傳統思想史囿於「概念史」或「理學史」的弊病。趙園執著於探尋生動的「人的世界」，探討明清之際士人世界的時代氛圍、士人心態、生存及想像方式，多多少少得益於由文學研究而來的對於「人」的興趣。

趙園寫作《明清之際士大夫研究》，主要依據的材料是士人文集。有明一代，雖有東廠等特務機關的殘酷統治，士人結社、議政的言談風氣仍一度昌盛，文集則構成表達這些士人言說的一個重要管道和方式。由此入手，趙園對當時士人的若干話題進行了探討。難能可貴的是，趙園選取的話題沒有陷入「封建」、「君主」等窠臼，關於「戾氣」、「生死」、「南北」、「建文遜國」等話題的討論，更直接進入了當時士人關切的問題和語境。進一步，趙園繼續試圖通過對其時言論條件如「言路」、「清議」的梳理，解釋士人參與構成的言論環境，甚至他們批評的態度、方式。在處理言論材料時，趙園則力圖復現歷史上「眾聲喧譁」的言論場域，而非將其組織為秩序井然的「公共論壇」。

作為歷史劇變時期的一種特殊士人形態，「遺民」承擔了朝代更替和華夷認同的雙重壓力，而黃宗羲、王夫之等對後世影響深遠的明遺民則更凸顯了這一問題的意義。下編處理的明遺民專題由如下方面展開：有關「遺民」、「遺民史」的論說；以遺民的自我述說及遺民傳狀為材料的遺民生存方式分析；作為時間現象的「遺民」與「遺民學術」等。

《明清之際士大夫研究》以思想史方式進入歷史語境，又另闢蹊徑，包含了豐富的心態史內容，出版後引起了較大反響。以本書為基礎，趙園後來繼續撰寫了《制度・言論・心態：《明清之際士大夫研究》續編》、《想像與敘述》等相關著作，可與本書互為補充。

《明清之際士大夫研究》　趙園　著

北京大學出版社／1999／150×230mm／476頁

【目次】

作者簡介

趙園（Zhao, Yuan, 1945-）

原籍河南尉氏，出生於甘肅蘭州。一九六九年畢業於北京大學中文系，一九八一年畢業於北京大學中文系研究生班。現為中國社會科學院文學研究所研究員。著有《艱難的選擇》、《論小說十家》、《北京：城與人》、《地之子》、《易堂尋蹤：關於明清之際一個士人群體的敘述》等。

（沅欣撰）

東亞
人文
100

CH-20

陳寅恪

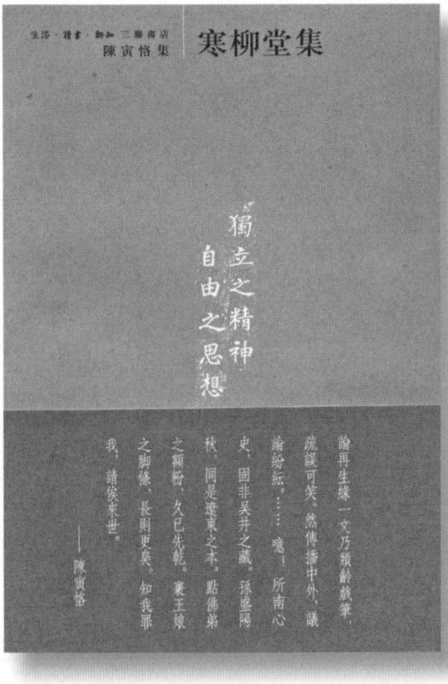

寒柳堂集

本書收入作者二十世紀三〇至六〇年代撰寫的史學論文十一篇，可約略見出作者平生思想探索軌跡和治學風格。其中〈論〈再生緣〉〉，〈韋莊秦婦吟校箋〉俱為陳氏名作。作為對特定作品的考據箋釋，比起大部頭的《柳如是別傳》，更適合對陳氏學問有興趣的讀者閱讀。附錄〈寒柳堂記夢〉兩篇，圍繞其家世社會網路，記敘了戊戌年間大到國變，小到家庭變遷的社會變局。惜乎原稿未竟，不能窺其全璧。

陳寅恪從根本上說是一位貴族史家。他出身於晚清世家，祖父陳寶箴是一八九五至一八九八年的湖南巡撫，無論曾國藩、李鴻章，還是張之洞、郭嵩燾、王文韶等晚清大吏，無不對其投以青睞（曾國藩稱陳寶箴為「海內奇士」）。而他的父親陳三立，是晚清的大詩人，同光詩壇的巨擘，襄助乃父陳寶箴推行湘省新政的翩翩佳公子。正是這一特殊身分決定了陳寅恪的貴族史家的立場。

陳寅恪對自己家世十分重視，雖然，他從來不曾誇飾自己的世家身分，晚年撰寫〈寒柳堂記夢未定稿〉，特申此義於前面的弁言之中，曰：「寅恪幼時讀《中庸》至『衣錦尚絅，惡其文之著也』一節，即銘刻於胸臆。父執姻親多為當時勝流，但不敢冒昧謁見。偶以機緣，得接其風采，聆其言論，默而識之，但終有限度。」

陳氏家族的遭遇是與國家的命運聯繫在一起的。慈禧政變對近代中國的影響難以言喻，包括八國聯軍攻入北京等許多傷害國族民命的後續事變，都是那拉氏的倒行逆施結出的果實。因此陳寅恪作為歷史學者，他不僅有「哀」，其實也有「恨」。所「恨」者，一八九八年的變法，如果不採取激進的辦法，國家的局面就會是另外的樣子。他的祖父陳寶箴和父親陳三立就不贊成康有為的激進態度，而主張全國變法最好讓張之洞主持，以不引發慈禧和光緒的衝突為上策。這就是陳寅恪在〈寒柳堂記夢未定稿〉第六節「戊戌政變與先祖先君之關係」裡所說的：「蓋先祖以為中國之大，非一時能悉改變，故欲先以湘省為全國之模楷，至若全國改革，則必以中央政府為領導。當時中央政權實屬於那拉后，如那拉后不欲變更舊制，光緒帝既無權力，更激起母子間之衝突，大局遂不可收拾矣。」

也就是陳寅恪在〈讀吳其昌撰梁啟超傳書後〉一文裡所說的：「當時之言變法者，蓋有不同之二源，未可混一論之也。咸豐之世，先祖亦應進士舉，居京師。親見圓明園乾宵之火，痛哭南歸。其後治軍治民，益知中國舊法之不可不變。後交湘陰郭筠仙侍郎嵩燾，極相傾服，許為孤忠閎識。先君亦從郭公論文論學，而郭公者，亦頌美西法，當時士大夫目為漢奸國賊，群欲得殺之而甘心者也。至南海康先生治今文公羊之學，附會孔子改制以言變法。其與歷驗世務欲借鏡西國以變神州舊法者，本自不同。故先祖先君見義烏朱鼎甫先生一新〈無邪堂答問〉駁斥南海公羊春秋之說，深以為然。據是可知余家之主變法，其思想源流之所在矣。」

陳寅恪對戊戌變法兩種不同的思想源流做了嚴格區分，以追尋使國家「大局遂不可收拾」的歷史原因。

《寒柳堂集》　陳寅恪　著

生活・讀書・新知三聯書店／2001／150×230mm／240頁

作者簡介

陳寅恪（Chen, Yinke, 1890-1969）

江西義寧（民國後改為修水）人。早年留學日本及歐美，一九二五年受聘清華學校研究院導師，回國任教。後任清華大學中文系、歷史系合聘教授，兼任中央研究院理事，歷史語言研究所研究員、第一組主任，故宮博物院理事等，其後當選為中央研究院院士。一九四八年南遷廣州，任嶺南大學教授，一九五二年後為中山大學教授。一九五五年後並為中國科學院哲學社會科學學部委員，是中國現當代最有名望的歷史學家，在知識分子當中影響極大。重要著作有《金明館叢稿初編》、《金明館叢稿二編》、《隋唐制度淵源略論稿》、《唐代政治史述論稿》、《元白詩箋證稿》、《柳如是別傳》等。

（劉夢溪撰）

東亞人文
100
CH-21

汪暉

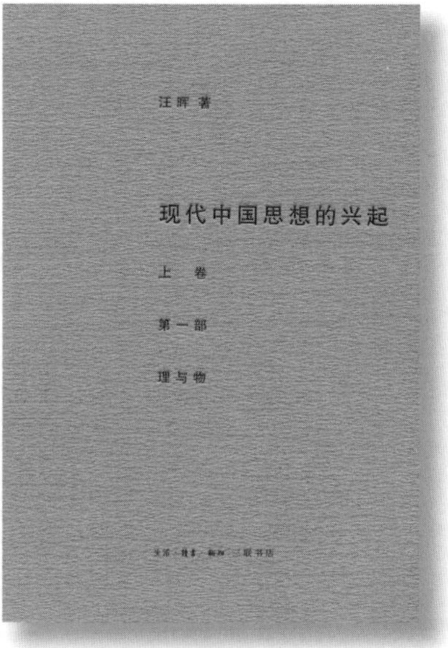

現代中國思想的興起

這部著作的主要貢獻，首先，在對作為整體的西方現代主義的根本性反思的背景下，它對美國（和日本）中國研究界的一些主導性假設提出了徹底的反思。考慮到它的框架及其議題和所研究文獻的廣泛性，我們可以說，它是至今為止對美國中國研究界的最為全面的批評性反思。給予汪暉的反思以力量和深度的是對作為整體的現代西方文明的主導性敘述——而不僅僅是美國（和日本）的中國研究界的敘述——的質疑。

但這也遠不是汪暉整個工作的全部。他還是一位用新的概念和方法從事中國思想史研究的學者。他的分析圍繞著物質——社會世界和倫理的關係的問題域，並不斷對中西思想進行比較。他所從事的當然主要是思想的研究，但他的研究立於對歷史情境以及思想之外的各種變化（在此是「時勢」）的清晰把握的堅實基礎之上。因此，他的研究與傳統的思想史研究大相徑庭，甚至不可以簡單地歸類為思想史。實際上，它是一本關於觀念的歷史化的著作，是一本中西思想相互對話的著作，一本過去與現在、思想與歷史情境相互對話的著作。

這也是一本比較特殊地運用後現代理論和感覺的著作，其最明顯的表現就是貫穿全書的與現代主義敘述框架的持續不斷的對話。但不能因為作者對現代主義的主導性敘述提出批評，並運用了一些標準的後現代理論術語，便將他簡單地理解為一位「後現代主義者」。汪暉非但沒有漠視話語之外的歷史，還持續不斷地去追蹤它，他也不是為了話語而話語，他的目的是建立一種新的視野。

最後，這一著作闡述了從天理到公理到科學話語的變化，其寬闊視野令人驚嘆，所圍繞的核心問題又極為重要，全書論述連貫，卻又充滿變化。它可以作為將科學與倫理和政治分離的現代主義敘述的比較性框架；它關於科學主義的建構過程的論述——亦即將所謂壞的科學歸結為非西方的社會主義國家，從而為西方宣稱只有自己才掌握了真正的科學獲取合法性——極富啟發性。汪暉對新古典經濟學及其意識形態提出了特別的批評，在當代中國的語境下，新古典經濟學及其相關的意識形態被稱為「新自由主義」（這也是國際左翼所使用的術語），大體上相當於美國通常所稱的「新保守主義」。當然，從最終的意義上來說，它也為我們的整個現代主義知識體系提供了深刻的批評性反思。

《現代中國思想的興起》 汪暉 著

生活・讀書・新知三聯書店／2004（全四冊）／150×230mm／1684頁
美國／2008（一卷本）

【目次】

章　作為科學話語共同體的新文化運動／第十三章　東西文化論戰與知識／道德二元論的起源／第十四章　知識的分化、教育改制與心性之學／第十五章　總論：公理世界觀及其自我瓦解／附錄一　地方形式、方言土語與抗日戰爭時期「民族形式」的論爭／附錄二　亞洲想像的譜系／參考文獻／人名索引

作者簡介

汪暉（Wang, Hui, 1959-）

江蘇揚州人。一九七八年入揚州師範學院中文系，一九八五年在南京大學獲得碩士學位，同年考取中國社會科學院研究生院，師從唐弢攻讀博士學位，一九八八年畢業後至中國社會科學院文學研究所工作。一九九一年與友人共同創辦《學人》叢刊，一九九六年起擔任《讀書》雜誌主編（二〇〇七年卸任），二〇〇二年受聘清華大學人文學院教授。曾先後在哈佛大學、加州大學、北歐亞洲研究所、華盛頓大學、香港中文大學、柏林高等研究所等大學和研究機構擔任研究員、訪問教授。主要著作有《反抗絕望：魯迅及其文學世界》、《無地彷徨：「五四」及其回聲》、《現代中國思想的興起》等。

（黃宗智撰）

東亞人文
100

CH-22

巫鴻

禮儀中的美術

本書收入巫鴻的三十一篇論文。這些論文中的絕大部分是關於上古和中古時期的中國美術，更精確地說是關於中國古代的「禮儀美術」（ritual art）。作者認為，中國古代禮儀美術有其獨特的性質和發展線索，這種特殊性需要有特定的研究方法和解釋方法。譬如，禮儀美術一方面與日常生活中使用的視覺和物質形式不同，另一方面又有別於魏晉以後產生的「藝術家的藝術」，後者以作為獨立藝術品創作和欣賞的繪畫和書法為主。禮儀美術大多是無名工匠的創造，所反映的是集體的文化意識而非個人的藝術想像。它從屬於各種禮儀場合和空間，包括為崇拜祖先所建的宗廟和墓葬，或是佛教和道教的寺觀道場。不同種類的禮儀美術品和建築裝飾不但在這些場合和空間中被使用，而且它們特殊的視覺因素和表現——包括其質料、形狀、圖像和銘文題記——往往也反映了各種禮儀和宗教的內在邏輯和視覺習慣。禮儀美術是中國美術在魏晉以前的主要傳統。

具體地說，本書進行了以下幾方面的探索：一是對中國古代禮儀藝術的內涵、定義及沿革做一般性的界定。這種討論的出發點可以說是對傳統藝術分類法的解構。作者認為，以銅、玉器、陶器等類別作為主線敘述古代美術發展的做法本身是一種較為晚近的歷史現象，這種分類所反映的不是器物的原始功能和意義，而是後世收藏者的興趣和特長。把「禮儀美術」作為討論中心的目的正是為了把歷史研究的重點還原到古代美術品的原始功能、意義和環境上去，並進而探討不同類型禮器和禮制建築之間的關係和歷史沿革，其結果可以從根本上調整中國古代美術史的敘事結構；二是力求在更具體的層次上分析中國古代藝術和建築的發展，強調空間形式的時間性，譬如，跨越靜態的研究方法對於城市在漫長的時期內的層累發展之忽略；三是研究不同種類禮器和禮制建築上的裝飾和畫像，進入美術史「圖像學」的研究領域，但又希望在不同方向上突破狹義圖像學以文獻解釋圖像的傳統方法。其實，雖然書中的文章各有特殊的課題，但它們都以「圖像」為主要研究對象，目的也都是去發掘這些圖像的歷史含義。

研究古代藝術，一個辦法是相互比較，「中國」和外國比較；一個辦法是從內部尋找傳統。巫鴻傾向於第二種辦法。譬如他談禮儀的美術，涉及到龍山文化的玉器。在新石器時代，根本不存在「中國」的概念，但是，把大量的人力、物力、財力，把最先進的知識、技術集中到一件很小的作品上，這種邏輯一直到商代都很清楚。這一傳統可以追蹤到玉器，所以中國古代叫「器藏禮」，一個很小的器能夠把「禮」，也就是社會的原則都容納進去，這在世界其他國家很少看到。因此，他在尋找一種有著內在邏輯、相互聯繫的歷史，希望從內部找出一套中國自己的傳統，發掘這個傳統自身的邏輯。

作為一位在哈佛大學研究院修過人類學的專家，巫鴻對於禮儀美術的興趣很大程度可以追溯到人類學的影響。

《禮儀中的美術》（上下卷）　巫鴻　著

生活・讀書・新知三聯書店／2005／170×245mm／716頁

作者簡介

巫鴻（Wu, Hong, 1945-）

一九六三年入中央美術學院美術史系學習。一九七二至一九七八年任職於故宮博物院書畫組、金石組。一九七八年重返中央美術學院美術史系攻讀碩士學位。一九八〇至一九八七年就讀於哈佛大學，獲美術史與人類學雙重博士學位。隨即在哈佛大學美術史系任教。受聘主持芝加哥大學亞洲藝術教學。二〇〇二年建立東亞藝術研究中心並任主任。其著作包括對中國古代藝術、現代藝術以及美術史理論和方法的多項研究成果。主要著作有《武梁祠：中國古代畫像藝術的思想性》、《中國古代美術和建築中的紀念牌性》等。

（汪家明撰）

李零

兵以詐立：我讀《孫子》

李零是一位古文字學家，同時參與了多項考古和出土古文獻辨識工作，他對《孫子》一書以及古代軍事一向有特別的興趣，認為這牽涉到對中國人思維的一些基本方式的理解面。譬如他特別指出：「我們不要忘記，戰爭可不是『公平競賽』。」《孫子》所談論的謀略、計策在根本上都是在否定規則。因此，閱讀《孫子》的精髓是謀略。研究謀略，最好讀戰史，而不是死讀軍事理論書。同時，「中外戰史，中外兵書，最好對著讀。譬如西方傳統，重兵器，重實力，重勇氣，重財力，重技術支持，重海外擴張，有一股凶蠻之氣。他們喜歡強調的東西，往往是我們容易忽略的東西。我們貴謀尚詐，沒有這些過硬的東西，謀、詐就被架空了，兩者可以互補」。

作者在書前的〈自序〉裡說：

> 目前這本書，重點是講兵法中的哲學：一是兵法本身，二是兵法中的思想。為此，我在書中加進了有關的軍事知識，還有思想史的討論，內容比以前豐富，結構比以前清晰，講法也輕鬆愉快。

從現代來說，現代戰爭是總體戰爭，軍、民的界線被打亂，軍事手段和非軍事手段輪著用。由此才有「戰爭是政治的繼續說」，戰略變成大戰略。《孫子》論兵，牽涉多廣，有君、將關係，有軍、民關係，有軍賦和出兵的關係，有伐謀、伐交、伐兵的關係。他的謀略也是大戰略。

李零曾有專書研究中國的古代方術問題，他因此指出：讀《孫子》，大家最陌生的可能莫過於其中的兵陰陽說。譬如它講地形，比如它講火攻，都牽涉到這方面的知識。碰到方術知識，碰到方術術語，怎麼辦？大家可以學一點方術。方術是古人的自然知識，天文、氣象、地形、地貌，都屬於這種知識。

《兵以詐立：我讀《孫子》》 李零 著

中華書局／2006／160×240mm／400頁

【目次】自序／第一講 《孫子》是一部什麼樣的書／第二講 怎樣讀《孫子》／第三講 （始）計第一／第四講 作戰第二／第五講 謀攻第三／第六講 （軍）形第四／第七講 （兵）勢第五／第八講 虛實第六／第九講 軍爭第七／第十講 行軍第九／第十一講 地形第十／第十二講 九地第十一／第十三講 九變第八／第十四講 火攻第十二／第十五講 用間第十三／寫在後面的話

作者簡介

李零（Li, Ling, 1948-）

祖籍山西武鄉縣。一九七七年入中國社會科學院考古研究所參與金文資料的整理和研究。一九七九年入中國社會科學院研究生院考古系，師從張政烺先生做殷周銅器研究。一九八二至一九八三年在中國社會科學院考古研究所灃西隊從事考古發掘。一九八三至一九八五年在中國社會科學院農業經濟研究所從事先秦土地制度史的研究。一九八五年任教於北京大學中文系。長期從事考古、古文字和古文獻的研究。著有《長沙子彈庫戰國楚帛書研究》、《中國方術（正）考》、《《孫子》古本研究》、《吳孫子發微》、《郭店楚簡校讀記》、《簡帛古書與學術源流》等。

（舒煒　汪家明撰）

章培恒

駱玉明

中國文學史新著

章培恒、駱玉明主編的《中國文學史》初版於一九九六年。一九九六年版《中國文學史》由合作者共同編撰，駱玉明負責統稿，章培恒則在自己撰寫的序文中，闡述了人性發展與文學史的演進同步的想法。由於與當時主導文學史編寫的「文學反映社會」等主流思潮之間存在差異，出版後引起了巨大的反響。而二〇〇七年出版的這部《中國文學史新著》，則基本由章培恒及其弟子重新寫過，全書更為透徹地貫串了章培恒「文學是人性表達」的觀點，以人性發展作為文學演變的基本線索，對現代文學以前的中國文學發展過程進行了扎實又獨具特色的描述，代表了新時期文學史研究的最新成果和水準。

《中國文學史新著》之「新」，首先體現在總體文學觀上。以人性為文學的主要線索和準繩，一方面是對傳統文學史觀過度重視社會歷史批判的反撥，一方面也是對「五四」以來文學體現人性思潮的回應，反映出新時期人文社會科學思潮的背景性變革。在這一觀念主導下，對許多作者、作品的評價都提出了新的看法。當然，新的評價方式也不可避免地造成了對部分傳統上評價較高作品某種程度上的貶低和忽視。

本書的另一大特點，在於框架編排打破慣常以朝代劃分文學的成例，把王朝體系改為上古、中世、近世三個階段，在中世分為發軔、拓展、分化三期；在近世文學中則分萌生、受挫、復興三期。這種從文學內部的發展脈絡來把握文學史的嘗試，避免了以社會歷史現實勉強割裂文學內部發展階段的弊病。

作為一部古代文學史著作，《中國文學史新著》在對待中國古代文學與現代文學關係的問題上，也表現出了頗新的態度。中國現代文學與古典文學傳統的斷裂是大家耳熟能詳的話題，《中國文學史新著》卻重點描述了「古今之變」，嘗試將兩者銜接，重點述「續」，而非述「斷」。在這個意義上，古代文學內部本身蘊含了現代文學出現的許多因素，西方的衝擊是加快這一轉變的外因，而非決定因素，從而對從古典文學的角度如何看待中國現代文學提供了新的進入方式和問題。

《中國文學史新著》在內容方面大量收入了最新的文學研究成果，對許多傳統上未加重視的領域以及部分國外學者的看法和研究，都做了新的補充。同時，材料上的嚴謹扎實也是該書的一大特點。對於文學史上有爭議的許多問題，都做了詳細的梳理和分析；在註腳中，也常常包括材料來源和辨別的考訂，其嚴謹的治學態度可見一斑。

《中國文學史新著》（三卷）　章培恒、駱玉明　主編

復旦大學出版社／2007／170×230mm／1546頁

【目次】上卷／導論／第一編　上古文學／第二編　中世文學・發軔期／第三編　中世文學・拓展期／中卷／第四編　中世文學・分化期／第五編　近世文學・萌生期／下卷／第六編　近世文學・受挫期／第七編　近世文學・復興期／第八編　近世文學・徘徊期／第九編　近世文學・嬗變期

章培恒（Zhang, Peiheng, 1934-）

浙江紹興人。一九五四年畢業於復旦大學中國語言文學系，留校任教。一九八〇年起任教授，一九八三年擔任中國古代文學專業博士生導師。一九八三至一九八五年任復旦大學中文系主任。一九八五年任復旦大學古籍整理研究所所長。國家教育部人文社會科學專家諮詢委員會副主任委員、全國高等院校古籍整理研究工作委員會副主任委員。主要從事中國古代文學研究，並致力於中國文學古今貫通研究。著有《洪升年譜》、《獻疑集》等。

駱玉明（Luo, Yuming, 1951-）

祖籍洛陽，生於上海。一九七七年畢業於復旦大學中文系研究生班，留校任教，現為教授、博士生導師。主要從事中國古代文學的教學與研究。《辭海》編委，《辭海》中國古典文學分科主編。著有《縱放悲歌：明中葉江南才士詩》、《老莊哲學隨談》、《簡明中國文學史》、《南北朝文學》（合著）等；參與翻譯吉川幸次郎《中國詩史》、前野直彬《中國文學史》、吉川幸次郎《宋元明詩概說》等論著，並負責各書之最後校定。

（沅欣撰）

東亞人文100

CH-25

胡鞍鋼

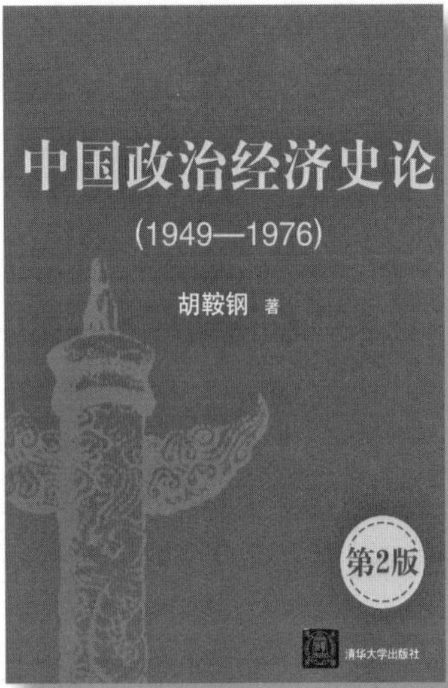

中國政治經濟史論（1949-1976）

《中國政治經濟史論（1949-1976）》一書寫作的基本背景，是一九四九年以來，中國已經從一個人口眾多、歷史悠久、發展水準落後、各地區差異甚大的獨特東方大國，轉變成初步繁榮的現代化國家。國際上許多學者曾經討論過「美國奇蹟」、「日本奇蹟」、「東亞奇蹟」，現在開始轉向討論「中國奇蹟」。中國是否出現了「奇蹟」？是如何出現的？會對其他世界和其他國家產生什麼影響？《中國政治經濟史論（1949-1976）》試圖以討論從新中國建立到改革開放前的政治經濟歷史的方式，來對這些問題做出解答。

本書回顧了從中華人民共和國成立至一九七六年政治經濟發展的歷史，重點探討了中國現代化發展的宏觀背景、初始起點、發展條件和各類動因；從政治與經濟兩條主線闡述了新中國建立初期到向社會主義轉變、「大躍進」到經濟重建以及「文化大革命」時期的歷史過程和歷史聯繫，並做了客觀和歷史的分析。

作者認為，當代中國巨大成就的取得，與新中國建立以來老一代共產黨人所開創的具有中國特色的社會主義現代化道路有密不可分的關係。作者稱之為「中國道路」。為了同時從歷史和國際的視角闡述這一問題，作者首先討論了中國社會主義發展的宏觀背景，包括兩百五十年以來中國歷史的縱向比較和大國興衰的橫向國際比較，為中國在一七五〇至一九五〇年世界工業化、現代化進程中為何會落伍、一九五〇年之後為何再度崛起等問題提供了資料和理論闡釋。

接下來，作者將經濟與政治兩條主線編織交會，闡述了新中國建立以來的中國現代化發展軌跡與動因。中國作為現代化的後來者和落伍者，採取了追趕戰略作為經濟發展的主線，先後實行了不同的追趕發展戰略，成功地不斷縮小與發達國家的差距。經濟上，新中國作為現代化的主動回應者和追趕者，一步步從落伍走向進步；政治上，作者對決定和影響領導人對現代化挑戰的決策認識和決策機制進行分析，主要從這一角度來看待中國發展道路的選擇。

作者認為，毛澤東代表了新中國的第一代發展戰略，鄧小平、江澤民代表第二代發展戰略。由於本書篇幅所限，只論述到一九七六年毛澤東逝世為止。因此在本書中，作者提出的一個重要結論是：毛澤東晚年的失敗為鄧小平的成功打下了基礎。作者認為，毛澤東是中國政治革命的領袖，也是新中國的創始人。新中國建立初始的七年，是新中國經濟發展的第一個黃金時期，關鍵在於這一時期是中共的制度建設和黨內民主最好的時期。然而毛澤東晚年過於重視政治鬥爭，導致了六、七〇年代經濟的倒退。鄧小平作為中國經濟革命的領袖，與時俱進地轉換了領袖角色，成功地發動了中國的經濟革命，其影響一直持續到今天。

《中國政治經濟史論（1949-1976）》 胡鞍鋼 著

清華大學出版社／2008／185×260mm／598頁

【目次】第一章　中國的國情與現代化／第二章　中國經濟發展的歷史軌跡／第三章　中國現代經濟發展的初始條件／第四章　從建國初期到「一化、三改」（一九四九—一九五六）／第五章　從「大躍進」到經濟重建（一九五七—一九六六）／第六章　「文化大革命」時期（一九六六—一九七六）／第七章　對毛澤東時代的歷史評價／附錄一　中華人民共和國各種政治運動一覽表（一九四九—一九七六）／後記：向歷史學習／參考文獻

作者簡介

胡鞍鋼（Hu, Angang, 1953-）

生於遼寧鞍山。一九七八至一九八八年先後在河北礦冶學院（現唐山理工大學）、北京鋼鐵學院（現北京科技大學）、中國科學院自動化研究所獲工學學士、碩士、博士學位，一九九一年赴美國耶魯大學經濟學系做博士後研究。現為中國科學院／清華大學國情研究中心主任，清華大學公共管理學院教授、博士生導師。主要著作有《中國國家能力報告》、《中國經濟波動報告》、《中國地區差距報告》、《就業與發展：中國失業問題與就業戰略》、《中國戰略構想》、《中國大戰略》、《第二次轉型：國家制度建設》等。

（沅欣撰）

東亞
人文
100

CH-26

陳來

東亞儒學九論

陳來在出版了幾部有關朱子學與陽明學的著作之後，一九九二年又出版了《宋明理學》，他在該書的結尾寫道：「事實上，把文化的視野進一步擴大來看，則理學不僅是十一世紀以後主導中國的思想體系，而且是前近代東亞各國占主導地位或有重要影響的思想體系。因而，說宋明理學是近世東亞文明的共同體現，是不算誇張的。從而，要展現理學體系所有的邏輯環節的展開、所有實現了的可能性，就需要把整個東亞地區的理學綜合地加以考察。遺憾的是，限於篇幅和學識，本書還不能完成這一任務，只在明代理學中設了李退溪一節，對讀者了解朝鮮朝的朱子學發展可能略有幫助。真正站在東亞文明的角度了解理學，還有待於進一步的研究。」

陳來後來意識到中國學者往往不自覺地把「宋明理學」等同於「新儒學」（Neo-Confucianism）。這種意識在中國研究的範圍內並無疑問，但超出中國研究的範圍就會發生明顯的問題。「宋明」不僅是某種時間的尺規，而且是中國歷史的朝代。在這個意義上，把李退溪列在宋明理學中敘述是不合理的。從這裡可以看出，「新儒學」的概念是有其優越性的，因為它對整個東亞文明更具有普遍的涵蓋性。也由於此，陳來認為，可以說「新儒學是東亞文明的共同體現」，但不宜說「宋明理學是東亞文明的共同體現」。

雖然中、日、韓等東亞國家在歷史上都曾有儒學，有朱子學和陽明學，但各個國家的儒學可能有相當大的差別，各個國家儒學在該社會所居的地位也各有不同，需要做細緻的比較研究。

二十世紀八〇年代中期至九〇年代中期，陳來做過一些關於韓國、日本的儒學研究。他在處理朱子哲學心性論的過程中，發現日本學者也關注朝鮮朝的朱子學特別是李退溪的討論，因此，在寫作朱子哲學的博士論文期間，便寫了兩篇關於李退溪的論文。這兩篇論文都發表於一九八五年。在中國，可以說是最早研究韓國儒學的論文。後來他一直關注這方面的研究。

本書集中了陳來二十多年來研究東亞儒學的九篇文章，代表了中國朱子學研究者對韓國和日本朱子學研究的基本水準。

《東亞儒學九論》 陳來 著

生活・讀書・新知三聯書店／2009／130×195mm／230頁

【目次】 前言／李退溪對朱子的繼承和發展／李退溪與奇高峰的四七理氣之辯／李退溪心學之研究／李退溪性理學的再研究／宋尤庵與李朝中期的朱子學／李牧隱理學思想簡論／林羅山的理學思想／中日韓三國儒學的歷史文化特色／現代化理論視野中的東亞傳統（《德川宗教》讀後）

作者簡介

陳來（Chen, Lai, 1952-）

陳來，一九五二年生於北京，哲學博士。清華大學國學研究院院長、清華大學哲學系教授、北京大學哲學系教授。曾擔任哈佛大學、東京大學、香港科技大學、台灣中央大學等校客座教授，國際中國哲學學會副執行長。現任全國中國哲學史學會會長、教育部社會科學委員會委員，以及多所大學的特聘講座教授、兼職教授等。主要著作有《朱子書信編年考證》、《朱子哲學研究》、《有無之境：王陽明哲學的精神》、《古代宗教與倫理：儒家思想的根源》、《古代思想文化的世界：春秋時代的宗教、倫理與社會思想》、《詮釋與重建：王船山的哲學精神》等。

（沅欣撰）

日本

東亞人文100
JP-01

佐藤進一

日本の歴史 9
佐藤進一
南北朝の動乱
後醍醐帝の建武の新政は天皇家の分裂を招き、日本全土は戦禍に見舞われた。足利尊氏らによる活動も効なく、両朝の抗争はさらに激化する。
中公文庫

南北朝的動亂

本書作為「日本的歷史」系列叢書（共二十六卷，中央公論社）中的一冊，於一九六五年出版。其劃時代的意義大致可從以下三方面來考慮：一、「日本的歷史」系列叢書在戰後歷史學以及出版史上的位置；二、本書對日本中世史研究的貢獻；三、南北朝動亂的時代在日本史整體中的重要性。

從建立在戰前戰中皇國史觀基礎上的平泉史學中解放出來之後，戰後日本的史學界更加注重對歷史史料的細密解讀，並展開了對方法論的討論，出現了馬克思主義史學的改進和民眾史研究的並存，以彙總這些成果、於二十世紀六〇年代中期出版的系列叢書「日本的歷史」為標誌，戰後日本的歷史學迎來了一個高峰。負責古代史部分的有井上光貞、直木孝次郎、北山茂夫；負責中世史部分的則有石井進、黑田俊雄、永原慶二；而負責近世史的則有林屋辰三郎和奈良本辰也，以及近代史的井上清、色川大吉、今井清一等。各人負責的單冊儘管研究方法不盡相同，但都體現了當時各自的學問水準，即使作為單行本也都可以成為經典之作。更令人驚嘆的是這一系列叢書達到了超過十萬冊的銷量，在日本全國範圍內家庭書架上排列著整整二十六卷的現象並不少見，這可以說是戰後日本出版史達到頂點的象徵性事件之一。

其中，佐藤進一的這本著作在對龐大的史料群進行詳細考證的基礎上，提出了對日本中世社會政治構造的設想，並通過對知名或是非知名的具體人物的生動描寫，使這一設想的輪廓逐漸清晰，是促進了日本中世史研究範式轉換的一部佳作。可以說從網野善彥起至二十世紀七〇年代以後中世史研究綿延不絕的活力就是自本書開始的。

一三三三至一四〇八年，自鎌倉幕府滅亡到足利義滿死去，中間經歷了後醍醐天皇領導下的建武新政、南北朝並立的雙重統治體制，以及南朝與足利尊氏的政治鬥爭，這是一段長達七十年的動亂的時代，也是一個日本史上前所未有的時代——在密教的天皇存在的同時「惡黨」橫行，貴與賤、中央與地方、神聖與世俗統統處於流動的狀態，為一個下克上的世道鋪平了道路。這個時代到底意味著什麼？網野善彥說：「以南北朝的動亂為界分成前後兩個時期，這個重大的變化是關係到日本列島主要區域內權威結構及社會體制的大轉換，也是人與自然關係的重大變化，即所謂『民族史的』、『文明史的』轉換。」本書不僅是了解日本中世史的良好讀本，也是了解「日本」這一國家的必讀書。

《南北朝的動亂》 佐藤進一 著

中央公論社／1965

「中公文庫」／中央公論社／2005／115×148mm／488頁

【目錄】 序／公武水火不容的時代／建武新政／新政的挫折／足利尊氏／南北朝廷的分裂與鬥爭／動亂期的社會／直義與師直／三分天下的局勢／京都爭奪戰／南朝與九州／苦苦支撐的幕府政治／守護的領國／里正與莊民／室町殿下／王朝的沒落／日本國王（按：此為中央公論社一九六五年版目錄。推薦二〇〇五年「中公文庫」版）

作者簡介

佐藤進一（Sato Shinichi, 1916-）

畢業於東京大學文學部。曾在東京大學、名古屋大學、中央大學等高校任教，一九八七年退休。是中世法制史、古文獻學領域的最高權威。著述甚豐，主要有《室町幕府守護制度研究》（東京大學出版會）、《日本的中世國家》（岩波書店）、《日本中世史論集》（岩波書店）、《古文獻學入門》（法政大學出版局）、《足利義滿》（平凡社）等。

（守田省吾撰　莊娜譯）

丸山真男

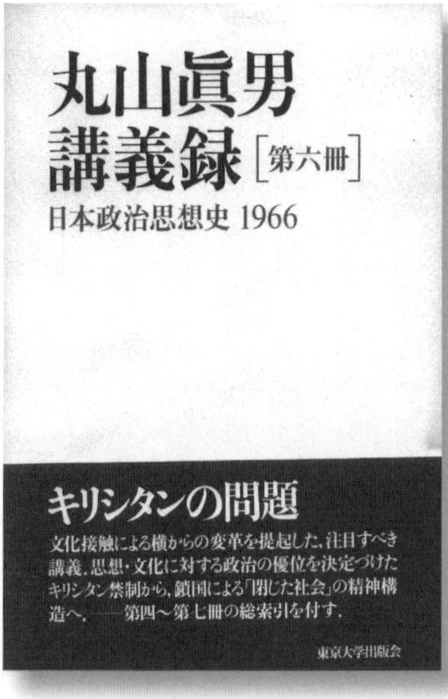
丸山眞男
講義録［第六冊］
日本政治思想史 1966
キリシタンの問題
文化接触による横からの変革を提起した，注目すべき講義．思想・文化に対する政治の優位を決定づけたキリシタン禁制から，鎖国による「閉じた社会」の精神構造へ．――第四～第七冊の総索引を付す．
東京大学出版会

講義錄

日本政治思想史（1966）

日本政治思想史（1967）

這兩本書是作者在東京大學法學部最後兩年間的講義。作者一方面通過他自稱為「夜店」的豐富多彩的現實政治評論，對戰後的日本社會形成了巨大影響；另一方面也在他稱之為「本店」的政治思想史研究中投入了巨大精力，並將所有這些研究成果在大學課堂上傾囊相授。作者生前尚未公之於眾的這些研究成果的全貌，在作者逝世後通過全七冊《講義錄》的出版，才終於為世人所知。

在戰爭時期從一九四三年開始一直時斷時續的丸山政治思想史課程，到了一九六四年終於迎來了一個大的轉機。在連續四年的大學課堂講義（《講義錄》第四至第七冊）中，作者構想了一個從古代開始的日本政治思想的通史。值得注意的是，在每一年講義的開始都有一個專門論述「思維方式的原型」（古層）的章節。如果用一句話來概括日本的政治思想史，那就是外來的普遍性思維被日本自古代延續下來的「原型」（古層）式思維所牽扯並最終日本化的反覆的過程。作者把原型的構造作為歷史的前提，並從這裡展開講義。在最後一冊即講義第七冊的開始部分，作者圍繞著思維模式和世界觀，在政治、倫理和歷史等意識領域展開了最為深化的「原型」論。

作者的「原型」有一個要點，即它被設定為是與「普遍者」或「超越者」相對照的存在。關於這一點，作者在論述古代的第四冊和中世的第五冊中都做了意味深長的重要提示。作者指出，即便是在「古層」的持續和隆起的歷史過程中，鎌倉佛教中也有親鸞這樣的對超越的普遍者的信仰，在戰國時代的武士當中，也產生過突破原型的主體性氣質。在一九六六年（第六冊），作者首次將戰國末期至近世作為講義的對象，論述了「天主教問題」，並提出了由於「文化接觸」而從橫向產生變革的問題。但隨著對天主教的禁止、政治對思想和文化的壓倒性優勢的確立，這些對普遍者的意識隨著幕藩體制的形成而全部消失不見了。

在最後的講義（第七冊）中，作者以「原型」與「幕藩體制的統治原理」、「儒教的世界觀」三者的相互作用為視角，論述了江戶時代的政治思想史。在鎖國體制下，人為創造的長達兩個世紀的「封閉型社會」使沉澱在底層的「原型」噴湧而出，導致了儒教的修正以及維新前夜日本主義和國學的勃興。將論述終結於前近代部分的《講義錄》，使決定日本之後命運的歷史烙印浮現而出，成為戰後日本幾乎是唯一和真正的日本思想通史。它不僅是一套具有廣闊歷史視野的通史，還在其根柢閃耀著問題史分析的敏銳眼光。這是再現嚴肅的「學問的現場」的珍貴紀錄，雖說還保留著原石的風貌，但我們已能從中發現雕像的卓越風姿，並且這一雕像正等待著讀者最後的雕琢。

《講義錄》 丸山真男 著

第六冊《日本政治思想史（1966）》／東京大學出版會／2000／148×214mm／358頁

第七冊《日本政治思想史（1967）》／東京大學出版會／1998／148×214mm／360頁

【目錄】第六冊／第一章　既有與前提／第二章　天主教的活動與思想／第三章　幕藩體制的思想構造／第四章　近世儒教的歷史意義／附　總索引（第四冊至第七冊）／第七冊／第一章　歷史的前提／第二章　近世儒教的政治思想／第三章　作為思想運動的國學／附　講義年譜

作者簡介

丸山真男（Maruyama Masao, 1914-1996）

評論員丸山幹治之次子，生於大阪。於大正民主運動中形成其思想，一九三四年從第一高等學校畢業，進入東京帝國大學法學部。一九三七年從東京帝國大學法學部畢業。一九五〇至一九七一年任東京大學法學部教授。二十世紀六〇年代後半期以來作為戰後民主主義的象徵，處於批判和擁護的風口。一九七三年獲普林斯頓大學名譽文學博士學位及哈佛大學名譽法學博士學位。日本學士院會員。

主要著作有《日本政治思想史研究》、《現代政治的思想與行動》、《日本的思想》、《戰中與戰後之間》、《〈文明論概略〉之閱讀》、《忠誠與反逆》等，此外還有《丸山真男集》（全十六卷、別卷一卷）、《丸山真男座談》（全九卷）、《丸山真男書簡集》（全五卷）、《丸山真男回顧談》（全二卷）、《丸山真男話文集》（全四卷）。

（加藤敬事撰　莊娜譯）

東亞人文100

JP-03

吉本隆明

共同幻想論

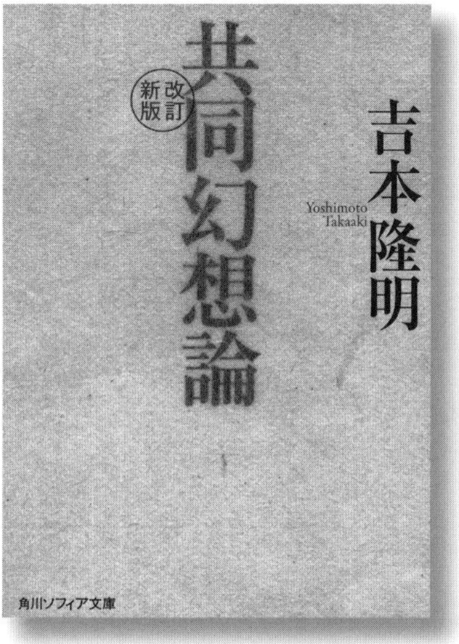

過去以詩人形象出現的吉本隆明，於一九六〇年安保條約鬥爭前後，在寫作詩論和文學批評的同時，開始不斷闡發他對政治形勢的見解。在一九六二年作者的《虛構之終結》出版之後，許多對藝術至上主義和對以日本共產黨為代表的現有馬克思主義感到不滿的日本年輕人，從在野的思想家吉本隆明的言論與行動中產生了共鳴，而且這種共鳴在經歷了六〇年代被稱做「政治的季節」的洗禮之後，得到了更大範圍的擴展。一九六三年，作者出版了著作《丸山真男論》。

《共同幻想論》面世的一九六八年十二月，正是以「全學共鬥會議」為首的高校學生運動鬥爭最為激烈的時期。不斷反芻的對國家權力的批判，以及對作為其反面同時產生的自我批判，常常與「國家是什麼」、「自我是什麼」的問題相結合。出版界也陸續出版了與此呼應的相關書籍。《共同幻想論》適值這一時期面世，並在推出後擄獲了眾多讀者的心。

作者以「全幻想領域」一詞取代了之前慣用的「上層建築」的說法，並將其劃分為「共同幻想」（宗教、法、國家）、「關係幻想」（家族、性關係）及「自我幻想」（藝術、文學諸領域）三個軸心，試圖通過分析其結構及相互關係提供一個觀察人類社會的新視域。對作者而言，這一嘗試亦與後來被稱做「吉本三部曲」的另兩本書《對語言而言美是什麼》（一九六五）和《心的現象論序說》（一九七一）相互照應。

此書的魅力在於，除了在作者早先著作中頻繁出現的黑格爾、馬克思、恩格斯和佛洛依德之外，還出現了泰勒和弗雷澤等人類學家的名字，此外還大量涉及了《古事記》、以《遠野物語》為發端的民俗學家柳田國男的工作，尤為值得關注。其新穎之處從該書目錄中亦可看出。處於經濟高速增長波峰期的日本，諸多的社會問題已開始顯現，本書的意義恰恰在於將視線投向人們存在於其間卻又對其無意識的「神話世界」，並以提供一種褪去粉飾的國家觀，形成對時代的批判。無獨有偶，這時在「結構主義」的發源地法國，以《神話學》為代表的李維史陀等哲學家和思想家的著作也被廣泛閱讀。

《共同幻想論》 吉本隆明 著

河出書房新社／1968／128×188mm／260頁

【目錄】序／禁忌論／附體論／通靈者論／巫女論／彼岸世界論／祭儀論／母系論／關係幻想論／罪責論／規範論／起源論

作者簡介

吉本隆明（Yoshimoto Takaaki, 1924-）

思想家、詩人。在一九六〇年安保條約鬥爭之後，在多是新左翼陣營的讀者群中獲得了壓倒性的支持。除去數本詩集之外，還相繼出版了《丸山真男論》、《對語言而言美是什麼》、《心的現象論序說》、《源實朝》、《戰後詩史論》、《初期歌謠論》、《最後的親鸞》等著作，二十世紀八〇年代之後出版了《大眾意象論》（*The Mass Image*）、《高等意象論》（*The High Image*）等回應時代課題的媒介評論著作。

（守田省吾撰　莊娜譯）

東亞人文100

JP-04

石牟禮道子

苦海淨土

我們的水俣病

一九五六年五月一日，水俁病伴隨著急性患者和小兒患者的高發被發現。將熊本縣水俁市作為據點的日本化學工業界巨頭CHISSO水俁工廠在不知火海、水俁灣排出的甲基水銀成為罪魁禍首。熊本大學的研究團隊發現事實真相是在事件發生的三年後，即一九五九年，而政府將水俁病列入公害病則是在一九六八年九月。

作為從出生後三個月開始就一直住在水俁市的一名普通家庭主婦，作者描寫了水俁病患者及其家庭的生存狀況，並於一九六〇年一月在谷川雁主編的雜誌《CIRCLE村》刊登了初稿。之後，又相繼在《現代的記錄》、渡邊京二創刊的《熊本風土記》上發表文章，並最終在一九六九年由講談社出版了單行本。本書在日本政府認定水俁病為公害病的次年出版，真實記錄了水俁病所帶來的社會危害，伴隨著當時社會上對公害問題的關注，獲得了極大的好評並數次再版。

本書之所以長期受到好評，並不僅僅因為作者站在患者及其家庭成員的立場，翔實地記錄了作為公害象徵的水俁病的社會危害，本書所描繪的是作者曾經居住過的地方——水俁市的前近代共同體徹底崩潰時的挫敗感，作者將這種感覺用詩一般的語言勾勒出來，這在日本文學史上是前所未有的。作者曾在一九七二年出版的該書文庫版的〈後記〉中寫道：「老實說，這部作品就像淨琉璃一樣，是講給自己聽的故事。」

在該書文庫版附加的解說中，其後因〈逝去世界的影像〉而出名的作家渡邊京二敘述如下：「作者石牟禮與患者及其家庭成員所選擇的立場，正是與這個世界的構造格格不入的人們、也就是被排擠出社會主流的人們的生存空間，一旦被置於那樣的境地，人們只能朝著幻想中的小島，嘗試著沒有目的地的遠航……支配著《苦海淨土》這個作品的中心思想，便是被這個世界排擠在外，由破滅向滅亡墮落，並最終走向眩暈的墜落的那種感覺。」

本書是《苦海淨土》系列的第一部。第二部《神靈之村》、第三部《天之魚》相繼收入《石牟禮道子全集》第二卷、第三卷（皆由藤原書店於二〇〇四年出版）。現行「講談社文庫」新裝版的本書卷末收錄了原田正純的〈水俣病的五十年〉。

另外，栗原彬的《證言・水俣病》、見田宗介的《現代社會的理論》（同為「岩波新書」）等，從社會學的觀點探討了本書和水俣病的社會意義。

《苦海淨土：我們的水俣病》 石牟禮道子 著

講談社／1969／128×188mm／294頁（另有「講談社文庫」一九七二年版及「講談社文庫」二〇〇四年新裝版）

年——水俣病對策市民會議　生命的契約　天皇陛下萬歲　滿潮

作者簡介

石牟禮道子（Ishimure michiko, 1927-）

作家。一九五八年作為居住在熊本縣的主婦參加了穀川雁主辦的「CIRCLE村」，撰寫了上述著作《苦海淨土》，第一次以作家身分出現。以少數派的觀點發表作品至今。其他主要著作有《天之魚續苦海淨土》、《海洋和天空之間——石牟禮道子歌集》、《十六夜橋》、《石牟禮道子全集：不知火》（全十七卷＋別卷）等。

（守田省吾撰　史歌譯）

東亞
人文
100

JP-05

石母田正

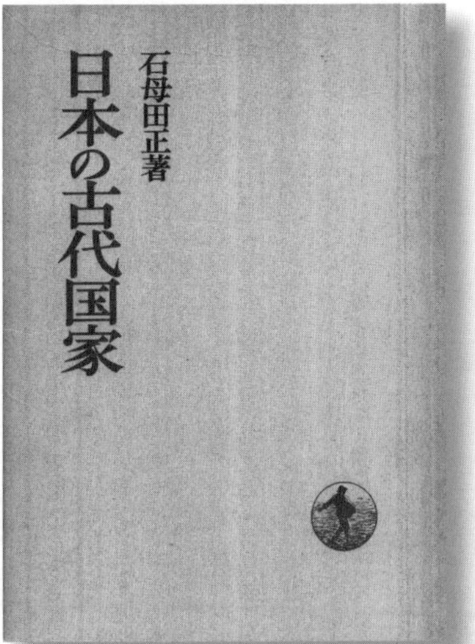

日本的古代國家

本書以西元六世紀至九世紀東亞世界週期性爆發的戰爭與內亂為背景，分析了日本古代國家的形成過程，是戰後日本史學的一部傑作。從隋唐帝國在大陸的出現，朝鮮半島的高句麗、新羅、百濟三國的對立抗爭與興亡，到渤海與唐朝帝國的戰爭以及新羅的加入，東亞世界長達三個世紀的動亂是日本古代國家成立的直接且具有決定作用的國際條件。這經過了日本最大的內亂「壬申之亂」，對應了律令體制確立的政治過程，與天皇對各地統治力量的整合、氏姓制度的改革、部民制與王民制的克服等國內條件相結合，與古代天皇制權力作為自己國家確立的過程密不可分。

本書將日本作為普遍法對律令的繼承、對世界宗教佛教的接受、在以外交及軍事為軸心的東亞地區作為一個小「帝國」的對內對外主張，以及大陸與朝鮮半島國際關係的變動納入視野，通過嚴密的史料批判與宏大的歷史架構，論證了在如上背景下日本古代國家的形成過程，其觀點在日本古代史領域內已成定論。

作者在日本戰敗後的歷史學改革中雖處於指導性地位，但由於二十世紀五〇年代由他主導的「國民的歷史學」運動遭遇挫折，其教條主義和政治主義也受到批判，因而在六〇年代作者開始批判性地對待明治以來實證主義史學的積累，吸取人類學的理論成果並進行重新評價，嘗試提煉出一種新的方法論，最終在本書中成功描繪了提升日本史學理論水準、古代天皇制國家的成立全過程，完成了這一日本史上最重要的課題。若說未來不可能出現超過這本書水準的歷史書，也不為過。

值得一提的是本書收錄了續篇《古代國家論第一部》中的一篇論文——〈國家、行基與人民〉。此篇論文研究了律令國家頒布「僧尼令」、以強權鎮壓承建東大寺盧舍那佛的僧人行基及其集團的過程，表明在國家史的研究中，必須對古代日本社會接受佛教與共同體的咒術在深層次上相結合的意識形態進行分析，是一篇不可多得的力作。

《日本的古代國家》 石母田正 著

岩波書店／1971／128×188mm／433頁＋取自《古代國家論第一部》中的一篇論文

【目錄】 國家成立史中的國際條件／大化改新的歷史意義／國家機構與古代官僚制的建立／古代國家與生產關係／附加論文：國家、行基與人民

作者簡介

石母田正（Ishimoda Tadashi, 1912-1986）

日本史學家。出生於日本宮城縣。進入東京帝國大學西方哲學系，入學後轉入日本史專業。在戰爭時期從事過治安維持法禁止的活動。在戰前和戰中一直祕密繼續歷史唯物論研究會的活動。寫於第二次世界大戰末期、出版於一九四五年戰敗之初的《中世世界的形成》給戰敗後的歷史學界和歷史界年輕學人以巨大的震動和影響。通過以黑格爾的《美學》為根據、指出《古事記》中敘事詩性格的論

文《古代貴族的英雄時代》（一九四八）、宣導「國民的歷史學」運動的《歷史與民族的發現》（一九五〇）等著作，以及在歷史學研究會、民主主義科學協會等在野研究團體的活動，主導了戰後啟蒙時期的歷史學改革運動。一九四八年任法政大學教授。一九八一年退休。其他著作有《古代末期政治史序說》、《平家物語》、《古代國家論》（全二卷）、《戰後歷史學的思想》等，皆收錄在《石母田正著作集》（全十二卷）中。

（**龍澤武撰　莊娜譯**）

松下圭一

城市政策之思考

作者是因提出「市民生活環境最低標準」概念而知名的政治學家。在經濟高速增長的同時，「戰敗」的時代結束，日本人開始產生作為「市民」的自覺意識。在全國範圍內，城市化進程不斷發展，隨之而來的是地方自治要求的高漲。如何準確把握社會變化的動向，怎樣更好地實現以市民為中心的政治走向，如何針對以上情況制定出具體的政策，這些正是本書探索和思考的問題。

本書中提到的「城市政策」是指培養健全、自由的市民，創造適宜居住的環境以及所依賴的社會基礎設施的完善，並建立整套的、有區別於過去中央集權型社會的市民自治型社會機制，也就是說，要創造一種市民生活環境最低標準的空間體系。這就是不管是資本主義社會還是社會主義社會在工業化急速進步和都市化中，社會被迫接受變化，都必須考慮建構新的社會體系，進入二十世紀後半期之後全世界各種社會形態共同存在的市民自治問題。儘管如此，本書中提出的革新性政策和實踐策略，在二十世紀七〇年代的日本，是與以「國家主權」為中心的各種社會科學理論和傳統的馬克思主義的政治理論格格不入的，因而受到了上述理論的雙面夾擊。不僅如此，多數日本人對「市民」這個詞彙感到奇怪，因為人們已經習慣了近代國家一百年中央集權的統治，這也是真實的社會狀況。但是，社會的變化本身已經證實了作者理論的正確性，在二十一世紀的今天，這種理論甚至已經成為一種常識。從這個意義上講，在戰後日本的社會科學領域，本書是一部將學術研究作品與社會政治實踐相結合，且引起社會巨大變化，具有里程碑意義的著作。

《城市政策之思考》　松下圭一　著

「岩波新書」／岩波書店／1971／115×173mm／230頁

【目錄】對城市政策的思考／城市政策的課題和可能性（現代城市問題的座標軸　城市革命的勃發　市民的人格成熟）／城市政策的科學和藍圖（城市科學的構成　城市藍圖的構想）／在城市政策中導入市民的標準（市民生活環境最低標準的理論　市民生活環境最低標準的城市結構化　市民生活環境最低標準和政治過程）／將城市政策交給市民（自治體改革的意義　市民和自治體政治　自治體的城市政策）／城市政策和政治選擇／後記

作者簡介

松下圭一（Matsushita Keichi, 1929-）

主要研究政治學、政治思想。出生於日本福井縣。曾在東京大學法學部參加丸山真男的學術小組。一九五三年成為法政大學法學部助教，因在經濟高速增長的二十世紀五〇年代預見到大眾社會的實現，並論證了「市民政治」的形態而一舉成名。歷任法政大學教授、日本政治學會理事長、日本公共政策學會會長。基於對以約翰•洛克為首的西歐市民社會的政治思想之深入研究，提出了「市民生活環境最低標準」的概念，並主張對日本政治和行政的現狀進行徹底改革的實踐型政治社會理念。繼二十世紀七〇年代的市民運動以及NGO、NPO活動之後，他的主張對日本的地方自治體的行政實踐也產生了巨大的影響。他所提出的「市民」概念在日本社會已經受到廣泛承認，並實踐性地提出「公共」這一概念的應有形態。他的這些成就受到了高度評價。

主要著作有《市民政治理論的形成》、《市民生活環境最低標準的思想》、《政策性思考和政治》、《現代政治的基礎理論》等。「岩波新書」中的《城市政策之思考》與《市民統治的憲法理論》（一九七五）、《日本的自治・分權》（一九九六）並稱為「三部曲」。

（**龍澤武撰　史歌譯**）

廣松涉

世界的共同主觀性存在結構

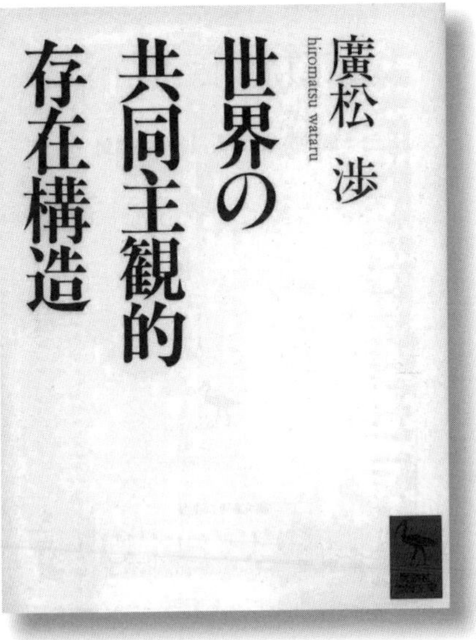

作者在本書〈序章〉中說：「我們今天期待著一種全新認識論的產生，它必須適應當今的時代要求，使人們能對『近代的』思維方式進行鮮明的自我批判，並打碎它的基本結構，建立一個新的世界觀。」

在作者看來，哲學的課題就是要解釋現有世界是以何種結構為媒介建立起來的。但這又並非海德格意義上的存在論，因為我們經由感官直接所見所聞的，都不過是經過歷史和社會化之後以「共同主觀」的形式存在而已。因此作者嘗試提出一種構想，來考察和說明意識形態在一般情況下的存在方式。這與作者敏銳的語言意識和歷史意識相關聯。

從年輕時候開始，作者就反覆閱讀了馬克思和恩格斯的異化論，並同時與馬赫（Ernst Mach）、胡塞爾、海德格等哲學家的思想進行交鋒，他對近代哲學的主觀—客觀的構圖進行了批判性的思考，並在寫作本書的幾乎同一時期發表了《馬克思主義的視野》、《青年馬克思論》和《科學的危機與認識論》等著作。二十世紀六〇年代末至七〇年代初，正是日本以全共鬥運動為中心的新左翼政治運動高漲與停滯的時期。作者在清醒地認識到自身所處的時代狀況的同時，總結了之前的研究成果，寫作了本書。其書名《世界的共同主觀性存在結構》也體現了作者的思考。

本書收集了作者三十幾歲以前的數年間所寫的論文。作者有其獨特的用語，因而內容也顯得頗為難懂。但本書作為「廣松哲學」的出發點，同時又帶有總結性質，不僅與之後以「認識世界的存在構造」為題的主要著作《存在與意義》有深厚的關聯，還是日本哲學從根本上批判西方近代的最早嘗試之一，是一部開創性的著作。作者自覺是「時代之子」，作品藉由徹底分析受到時代制約之下所產生的作品。因此，從普遍意義上來說，作者可說是普遍意義上出現的地平線。

《世界的共同主觀性存在結構》廣松涉 著

勁草書房／1972／148×214mm／288頁（另有「講談社學術文庫」一九九一年版）

【目錄】序／I／序章　哲學的閉塞情況與認識論的課題／第一章　現象世界的四肢型存在構造／第二章　語言世界的現象型存在構造／第三章　歷史世界的協動型存在構造／II／一　共同主觀性的存在論基礎／二　判斷的認識論基礎構造／三　對涂爾幹倫理學說的批判繼承

作者簡介

廣松涉（Hiromatsu Wataru, 1933-1994）

出生於日本山口縣。高中時加入共產黨，後退黨。畢業於東京大學文學部哲學系。完成東京大學大學院博士課程。一九七六年任東京大學教授。主要著作還有《唯物史觀的原像》、《事的世界觀的前哨》、《馬克思主義的理路》、《物・事・語言》、《物象化論的構圖》等。全都收入在《廣松涉著作集》（共十六卷）中。在退潮的史學主義中，作者身為一貫且不斷深話質問的哲學家，仍持續帶給年輕世代讀者影響。

（守田省吾撰　莊娜譯）

宇澤弘文

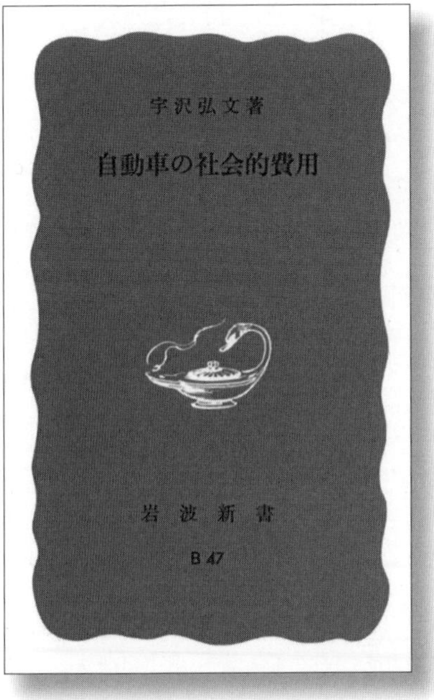

汽車的社會性費用

汽車的通行怎樣侵害了步行者的權利？因不均衡動學理論而著名的、日本有代表性的近代經濟學者宇澤弘文就從這簡單的日常疑問開始了本書的寫作。作者提出了這樣一個問題：近代市民社會的特徵就是遵循這樣一個基本原則，即只要不侵害他人的自由，各人有自由行動的權利，但是，汽車的通行不正是對這一原則的破壞嗎？

汽車的便利性恐怕是大家都會承認的。汽車的大量生產不僅繁榮了汽車產業，還由於消費大量的鋼鐵等金屬資源，以及石油和電力資源，需要投入大量的資本和勞動力，由此帶動了許多相關產業的發展。而且汽車的大量出現還推動了高速公路的建設，以及加油站、餐館和城市的基礎建設等等。汽車是日本經濟高速增長的象徵。但是，汽車就如同癌細胞一樣，本身就帶有破壞經濟社會的性質。交通事故在逐年增加，尾氣、噪音和震動等公害隨之產生，交通犯罪也呈增長之勢……如果按照受益者負擔的原則，從中產生的費用本應由汽車的使用者來承擔，但現實卻並非如此，事實上這些費用變成了強加給社會的成本。這就是汽車的社會性費用。

汽車帶來的社會性費用，具體是以交通事故、犯罪、公害和環境破壞的形式表現的，這些都對市民的健康、安全步行等基本權利造成了侵害，而且還多會對人們造成不可逆的損失。而面對這樣巨大的社會性費用的發生，汽車的受益人卻僅僅負擔了極其微不足道的一部分。反過來說，正是因為可以不負擔這樣多的社會性費用，汽車的普及才變得可能。

為了終止這一惡性循環，作者指出了新古典派經濟學中存在的問題，分析了強迫作為第三者的低收入階層來負擔的社會現狀，對有關汽車的社會性費用進行了測算。譬如，為了不使市民的基本權利因汽車的通行而遭受損害，需要在道路建設等方面追加多少投資。

與本書出版的一九七四年相比，現在日本的汽車使用狀況已發生了很大的變化。但本書並非單純處理汽車問題，而是透徹分析現代社會弊病的一個方法，為重新探討近代經濟學提供了一個重要的方向。

《汽車的社會性費用》　宇澤弘文　著

「岩波新書」／岩波書店／1974／115×173mm／192頁

【目錄】前言／序章　1汽車的問題性　2對市民權力的侵害／I汽車的普及　1作為現代文明象徵的汽車　2汽車與資本主義　3汽車在美國的普及　4公共交通設施的萎縮與公害的發生　5一九七三年的新交通法／II日本的汽車　1汽車的迅速普及與道路的健全　2城市與農村的變化　3非人性化的日本道路　4異常的汽車通行／III汽車的社會性費用　1社會性費用的概念　2三個測算事例　3新古典派的經濟理論　4把握社會性共通資本的方法　5社會性的合意與經濟的穩定性　6市民的自由與效率性　7作為社會共通資本的道路　8汽車的社會性費用及其內部化／IV結語／後記

作者簡介

宇澤弘文（Uzawa Hirofumi, 1929-）

近代經濟學（宏觀經濟學）者。一九五一年畢業於東京大學數學系。一九五六年赴美，歷任史丹福大學副教授、加州大學柏克萊分校副教授，一九六四年任芝加哥大學經濟學部教授。一九六九年任東京大學教授。一九九七年被授予文化勛章。其所著與本書相關的著作還有《近代經濟學的再探討》、《富足社會中的「貧窮」》、《「成田」是什麼——戰後日本的悲劇》、《地球暖化的經濟學》等，大部分著作收入《宇澤弘文著作集》（全十二卷）。

（守田省吾撰　莊娜譯）

山口昌男

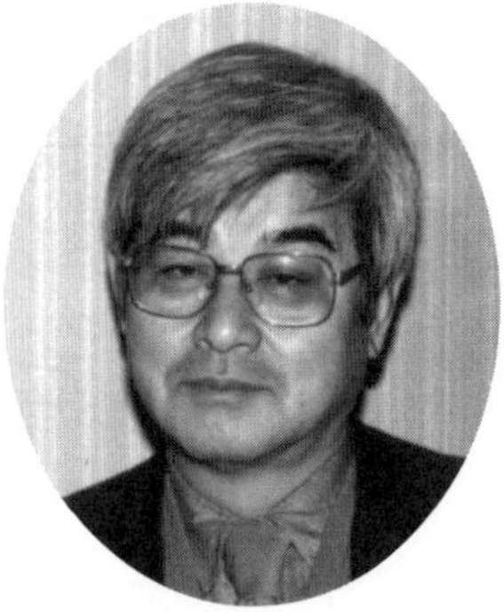

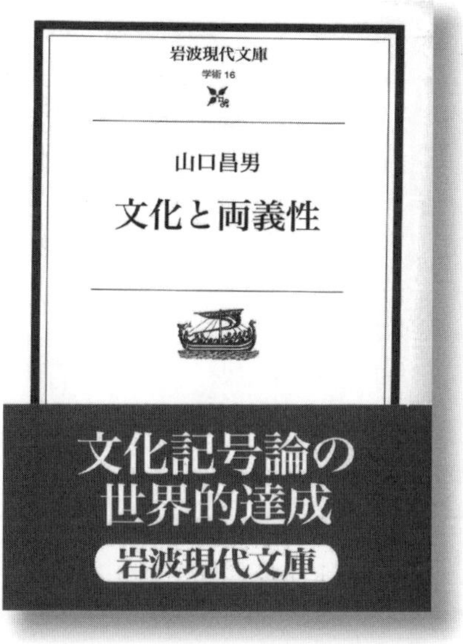
岩波現代文庫
学術 16
山口昌男
文化と両義性
文化記号論の
世界的達成
岩波現代文庫

文化與兩義性

作為「岩波哲學叢書」中的一冊，本書如實展現了作者這位因《非洲的神話世界》（岩波新書，一九七一）等大放異彩的獨特文化人類學者的思想風骨。雖然之後作者繼續寫作了《欺詐的民俗學》等諸多著作，但其所有思想的萌芽已盡在本書中。

本書首先分析了編纂於八世紀、日本最古老的地方志、民俗志《風土記》中殘存的民間神話，以多種神話、民俗以及文學作品和戲劇等為例，展現了文化中蘊含的推動力，並以文化人類學、文化符號學的最新識見，明快地揭示了「文化與自然」、「秩序與混沌」、「差別與排異」、「現實的多元性」、「宇宙論」、「中心與邊緣」、「詩的語言的意義」等問題。本書提出了創造一種新的文化理論——不僅立足於人類學，而且以符號學等為依據——的必要性，為二十世紀七〇年代以後日本的人文學科諸領域帶來了不可估量的影響，從人類學、民族學、民俗學，到哲學界、思想界、人文學科的年輕學者中留下了深刻印象。本書從根本上顛覆了之前在日本戰後思想界占據主流的硬直派社會科學的思考方式，涉獵到田野書寫世界，展現了知識探索世界的廣闊空間。在這層意義下，這本書呈現出作者比起人類學，更在文化理論裡發揮本領的面貌。甚至可以這樣說，脫離了本書的影響，將無法討論此後誕生的日本人文研究。

《文化與兩義性》 山口昌男 著

岩波書店／1975

「岩波現代文庫」／岩波書店／2000／303頁

【目錄】古風土記中的「文化」與「自然」／晝的思考與夜的思考／符號與邊界／文化與疏離性／現實的多元性／象徵的宇宙與邊緣的現實／詩的語言與邊緣的現實／後記

作者簡介

山口昌男（Yamaguchi Masao, 1931-）

文化人類學、文化符號學專家。出生於日本北海道。大學畢業於東京大學日本史專業。以平安時代後期的獨特文人、知識分子大江匡房為課題撰寫畢業論文，但由於對文學和民俗學的興趣，遂加入了西鄉信岡的研究會等研究機構。任教於麻布中學時，以在職身分進入東京都立大學大學院，師從民族學、人類學家岡正雄，正式開始了民族學和社會人類學的研究。一九六八年任東京外國語大學亞非語言文化研究所副教授。一九六九年作為編者為《現代人的思想——未開化與文明》寫作解說性論文〈找回失去的世界〉，因博學多識一舉備受關注。後曾在尼日利亞、法國、祕魯等國的大學執教。作為深諳結構主義、符號學、圖像學和文本理論的學識淵博之文化理論家，作者對二十世紀七〇年代和八〇年代的年輕研究者深具影響力。一九八四年與磯崎新、大江健三郎、大岡信、武滿徹、中村雄二郎等一起參與文化雜誌《赫爾墨斯》季刊的創刊。以其旺盛的創作活動和發言，成為領軍二十世紀八〇年代藝術、人文和思想界的領袖。歷任東京外國語大學亞非語言文化研究所所長、札幌大學校長、日本民族學學會會長、日本民俗學學會會長、日本符號學學會會長、國際符號學學會副會長。《「失敗者」的精神史》一書榮獲一九九六年度大佛次郎獎。著作豐富，有《書的神話學》、《欺詐的民俗學》、《歷史・慶祝祭祀・神話》、《知識的透視法》、《文化的詩學》（全二卷）、《二十世紀的知性冒險》、《文化人類學的視角》、《挫折的昭和史》等，並有《山口昌男著作集》（全五卷）。

（龍澤武撰　莊娜譯）

河合隼雄

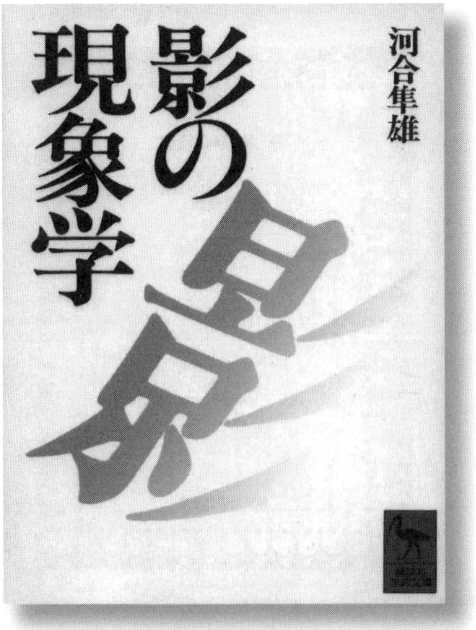

影子的現象學

「對人而言，影子可真是種奇妙的東西。有光的地方就一定有影。而我的影子總是與我同在，它時大時小，或濃或淡，跟在我的身後，表明它確實是屬於我的。但它雖然是我的東西，卻又是多麼單調和混沌啊。在更大的影子裡面，我的影子就會被完全吞噬不見。從我一來到這個世界上開始，我的影子就存在著，並和我一同成長。但如果有一天我死了呢？它是會和我一起被埋葬在土壤裡，還是會像終於從主人那裡獲得自由的奴隸一樣，自由地飛向某個地方？又或者，影子也有影子自己的墓地？抑或都不是，也許影子和它的主人不一樣，就如同它會隨著光的存在反覆消失和重現一樣，影子是在死亡和重生中循環往復的吧。」

本書就從這段饒有興味的敘述開始。

作者年輕時曾在瑞士的榮格研究所留學，獲得榮格精神分析師的資格回國後，以其《榮格心理學入門》、《箱庭療法》等著作在日本奠定了臨床心理學的基礎。進入二十世紀七〇年代後，作者力圖將榮格心理學應用於更廣的範圍，本書可說是其中的一個嘗試。

作者首先對榮格論述「陰影」時使用的概念如阿尼瑪與阿尼姆斯、個人潛意識與集體潛意識、情結、原型、自性（self）等進行闡釋，並以豐富的文學作品及神話、童話為素材，考察分身（Doppelgänger）、雙重人格與陰影的關係。尤其在第四章〈影子的悖論〉中，作者運用當時文化人類學者山口昌男等人討論的「欺詐」、「詐騙師」（trickster）等概念分析馬克•吐溫的小說《神祕的陌生人》等，字裡行間充滿知性的火花，將讀者一步步引導至人類心靈的最深處。

同時期，作者將日本人的傳說和民間故事分類，試圖從中發現日本人的集體潛意識。因而產生

《深層的傳說》、《日本人的傳說與心靈》、《明惠、做夢》等的著作，獲得極高的評價。

儘管如此，以本書為首，作者其他為數眾多的作品內容亦建立在作者扎實的日常臨床經驗基礎之上。在與人格解體症（depersonalization）患者和人格分裂症患者接觸的過程中，作者記錄了他作為心理療法專家的諸多思考，本書之內容即由此而來。

《影子的現象學》　河合隼雄　著

思索社／1976／128×188mm／260頁（另有「講談社學術文庫」1987年版）

作者簡介

河合隼雄（Kawai Hayao, 1928-2007）

心理學家、心理療法專家。一九六二至一九六五年在瑞士榮格研究所留學。一九六二年起歷任天理大學副教授、教授，一九七二年任京都大學教授，一九八七年任國際日本學研究中心教授。二〇〇二年出任日本文化廳廳長。一九九六年榮獲朝日獎。二〇〇〇年被推選為文化突出貢獻獎獲得者。著作頗豐，有《榮格心理學入門》、《箱庭療法入門》、《日本人的傳說與心靈》、《心理療法序說》等，並有全集《河合隼雄著作集》（I期、II期，全二十五卷）。

（守田省吾撰　莊娜譯）

東亞人文100

JP-11

梅棹忠夫

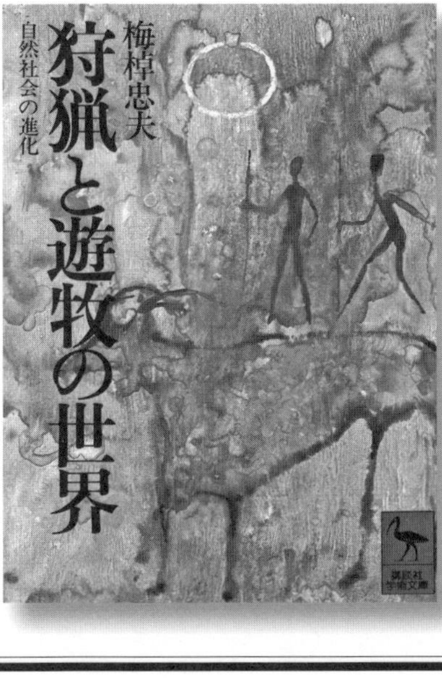

狩獵和遊牧的世界

自然社會的進化

從生態學者開始其學術生涯的梅棹忠夫於一九五五年作為京都大學學術探險隊的一員，對阿富汗、巴基斯坦和印度進行了實地考察。在這項實地考察基礎上孕育的，就是一發表即引起巨大反響的《文明的生態史觀》（一九五七）。這本書對以東方與西方、亞洲與歐洲為座標系的「世界史模式」提出了挑戰，為思考日本文明在世界史上的位置提供了非常獨特的視角。「如果說《文明的生態史觀》是對生態環境和歷史發展類型的關係所做的探討，那麼《狩獵和遊牧的世界：自然社會的進化》這本書則是將焦點集中於狩獵、採集、畜牧、農耕等生活方式的問題，尤其是將狩獵和遊牧世界中的社會進化過程做了理論上的清晰概括」（文化人類學者、京都大學名譽教授谷泰為講談社學術文庫版所作的解說）。這兩本書可以說是形成了一組極具對照性的構圖。

《狩獵和遊牧的世界：自然社會的進化》本來是作為一九六四年岩波書店主辦的「岩波市民講座」的講義出版的，並在岩波書店發行的雜誌《思想》上連載。這一講義以上一年開始的對東非畜牧社會的研究為基礎。考慮到是面向市民的講座，《狩獵和遊牧的世界》採用了極為明快易懂的文風，而且其構想之宏大、視野之開闊與《文明的生態史觀》相比毫不遜色，但卻沒有像後者那樣獲得普遍的關注，這是為什麼呢？也許這與日本作為一個農耕社會，對畜牧和遊牧的生活方式缺乏知識的積累有關。如果是這樣，像作者這樣與狩獵民、遊牧民有直接接觸經驗的研究者在世界上亦不多見，所以在實地調查基礎上所做的這番考察，對於彌補我們歷史記載的欠缺就具有更為重大的意義。

從狩獵生活到遊牧生活，再到遊牧國家的建立，以動物為謀生對象的社會歷經的是一條怎樣的進化之路？形成遊牧國家物質基礎的畜牧生活是怎樣的一種生活方式、又是在怎樣的技術條件之上形成的？在把人類社會一概看做從自然社會向農業社會、工業社會發展的直線式文明史觀的歷史敘述中，對這些問題的記載是完全看不到的。農業革命雖然受到強調，但作者所說的畜牧革命則完全沒有涉及，因為在直線式文明史觀的視野裡，在歐亞大陸中部逐一出現的遊牧國家只是被看做不時在文明史上引起混亂和暴力的非合理因素而已。作者對生活在從歐亞大陸東北到西南的廣袤乾燥地帶的狩獵和遊牧民社會進行了考察，把狩獵、遊牧和農耕三種生活方式置於地球歷史的範圍內做了重新定位。本書將焦點集中於被文明所驅趕趨於消失的民眾，探索他們的社會的起源，促使人們對現代社會的基礎進行重新思考。

《狩獵和遊牧的世界：自然社會的進化》　梅棹忠夫　著

「講談社學術文庫」／講談社／1976／115×148mm／174頁

【目錄】狩獵與遊牧／生活方式的幾種類型／生活方式的進化／研究的方法／自然社會／滅絕中的社會／狩獵、採集民的生活／從採集向狩獵的進化／從群居到家庭生活／精神在生活方式變化中的作用／畜牧為先，還是農耕為先？／畜牧的家畜與非畜牧的家畜／原始農耕與家畜飼養／關於畜牧起源的幾種學說／對幾種學說的批判／擠奶與閹割／畜牧民的四種類型／草原、沙漠與綠洲／畜牧民的生活／多元起源的可能性／歷史中的畜牧社會／畜牧革命／畜牧社會的命運

作者簡介

梅棹忠夫（Umesao Tadao, 1920-）

生態學家、民族學學者。一九四三年畢業於京都大學理學部動物學專業。一九四九年任大阪市立大學副教授。組織東南亞學術考察團、非洲學術考察團等，同時參與京都大學人文研究所「法國百科全書派研究」等專案的研究。一九六五年任京都大學人文研究所副教授，一九六九年任該研究所教授。一九七四年任國立民族學博物館館長。一九九一年獲文化特殊貢獻獎，一九九四年被授予文化勛章。

（加藤敬事撰　莊娜譯）

東亞人文100

JP-12

網野善彥

無緣・公界・樂

日本中世的自由與和平（增補版）

本書將視線置於中世日本社會遊歷四方的手工藝人、表演藝人、漁民和山民的獨特的生活共同體，極大改變了之前日本史的固定印象，是獨創了「網野史學」的作者的一部發軔性質的著作。作者認為，近世以前的日本社會也應像世界上其他地方一樣，廣泛存在著普遍性的、避難所一樣不受世俗權力侵擾的「場」和「集團性」，通過對史料的細緻挖掘以及重新解讀，作者終於逐步證實了這一假設的正確性，並指出還有「無緣」、「無主」等觀念發揮了否定私有制和世俗的主從關係的作用。在本書中，作者通過「無緣」、「無主」及試圖攏絡對方的「有緣」、「有主」之間的動態糾葛，以「後者取勝和前者衰退」的過程來重新建構日本史，是一部充滿了學術野心的著作。同時，由於作者提倡在馬克思主義史學中引進「民族志的層面」、積極吸取民俗學和人類學的成果，從根本上重新把握「原始共產制」和「私有」概念，所以這本書也是作者對歷史理論探索的重要一步。出版之後，其大膽的歷史構想和使用了倒敘手法的全新歷史敘述，為日本史的毗連領域（精神史、思想史、文學史、藝能史、美術史、民俗學等）的研究者，尤其是年輕的讀者帶來了新鮮的刺激，並受到了狂熱的歡迎。

作者在本書出版的同時繼續進行著研究與寫作，在本書中他首次提出的日本社會的歷史面貌，與作者在本書之後陸續發表的中世都市論、漁民・海民・手工藝人的歷史、社會史研究等多種研究領域的成果相呼應，並與作者對天皇及天皇制這一戰後歷史學最重要課題的新闡釋相呼應。因此可以說，本書很好地展現了作者以歷史學為志向的整體研究及其特質。與進入歷史社會的縱深處把握長期存在的天皇制存續問題的《日本中世的非農業民與天皇》（岩波書店一九八四年版）一樣，本書亦是網野史學的一部代表性著作。

《無緣・公界・樂：日本中世的自由與和平（增補版）》 網野善彥 著

平凡社／1978

「平凡社文庫」增補版／1996／110×160mm／380頁

【目錄】前言／一 「除晦氣」／二 江戶時代收留婚姻不幸婦女的寺院／三 若狹的婦女救助寺院／四 周防地區的「無緣所」／五 京城的「無緣所」／六 「無緣所」與氏寺／七 「公界所」與「公界者」／八 自治都市／九 一揆與農村自治組織／十 繁榮的自由都市、自由市場與同業公會／十一 無緣・公界・樂／十二 山林／十三 市與宿／十四 墓地與禪僧律僧、時宗僧／十五 關卡渡口港口泊地／十六 倉庫、金融與神聖／十七 遊歷四方的「手工藝人」／十八 女性的「無緣性」／十九 佛寺神社與「禁止入內」／二十 作為「避難所」的家／二十一 「自由」的平民／二十二 未開化社會的避難所／二十三 人類與「無緣」的原理／後記／補註／補論（增補版）可成為都市的場、另外四篇／寫在增補之際

作者簡介

網野善彥（Amino Yoshihiko, 1928-2004）

史學家。一九四七年從舊制東京高校畢業進入東京大學日本史專業就讀。加入日本共產黨，參加

了石母田正等指導的歷史要為民眾服務的運動——「國民的歷史學運動」，成為年輕歷史研究者的核心人物，但這一運動在短短時間內即遭遇挫折。一九五〇年進入日本常民文化研究所，接觸了漁業史和民俗資料。一九五五年得到都立高校的教職並工作至一九六六年。其間在東京大學史料編纂所從頭開始進行古文獻研究。一九六七年任名古屋大學副教授。一九八〇年放棄在國立大學升任教授的機會，從名古屋大學辭職，轉入神奈川大學短期大學部，為重振附屬於該大學的日本常民文化研究所而努力。同時與二宮宏之、阿部謹也等西洋史研究者共同創辦《社會史研究》季刊。由於二宮宏之的關係，網野善彥的業績被賈克・勒高夫等法國年鑑學派的學者介紹到西方，對美國以芝加哥大學為中心的日本研究者如Tetsuo Najita、諾瑪・菲爾德（Norma Field）等也產生了重大影響。著述甚豐，有《日本中世的非農業民與天皇》、《異形的王權》、《中世都市論》、《手工藝人賽歌會》、《日本是什麼》、《日本社會的歷史》（全三冊）等。有《網野善彥著作集》（全十八卷，岩波書店）。

（龍澤武撰　莊娜譯）

東亞人文100

JP-13

西鄉信綱

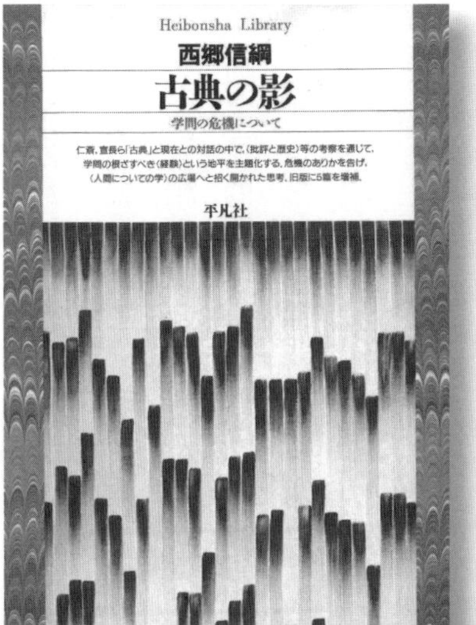

古典的影子

本書是由作者這位戰後日本卓越的古典學家在二十世紀六〇至九〇年代之間完成的十二篇論文，以及以「斷章」為題的十幾篇短文構成的文學論集。在這三十年間，作者完成了堪與本居宣長的《古事記傳》相媲美的《古事記註釋》（全四卷），並相繼發表了有關《源氏物語》、「記紀神話」、「記紀歌謠」以及《萬葉集》等古典作品的解讀。這些研究探問，都是作者想要在作為歷史經驗結晶而成的作品語言世界中享受來回追索的行動。同時，作者將「解讀」這種主體經驗歷史自我主題化，不斷地反省、在方法上精練修正，試圖擴展其他的水平面。這種強韌的批評精神不斷支持著作者。本書強烈批判了國文學（日本文學）研究的地方性，是作者在理論上探討上述問題的成果之大成。通過對古典作品的切實研究把「解讀」行為中包含的歷史性作為主題，並進行反思和在方法論上予以掌握，這是貫穿全書的中心思想。本書是突破日本古典研究的框架、對現代批評理論及人文學科現狀的批判性探討，並與二十世紀西歐批判理論的核心主題——文本的「解讀」問題一脈相承。在〈對治學方法的反思〉中，作者從根本上批判了丸山真男及戰後歷史學界的社會科學式的思考，也對注重實際感受的文學批評做了徹底批判，作者所提倡的研究方法既不同於主觀解讀的恣意性，又不同於與之相對的客觀解讀的實證性，而是屬於完全不同的一個層面，要不斷地詢問使「解讀行為」得以立足的「我」與「他者」的復合「經驗」具有何種意義。除此之外，也收錄了憑藉對西歐批判理論的深厚造詣、詩人般的感性以及對古典研究的實踐經驗，作者的許多文學論文都簡明易懂，其作品也是戰後日本文學批評理論的頂峰之一，並對許多讀者產生著持續性的重要影響。

《古典的影子》　西鄉信綱　著

未來社／1980

「平凡社文庫」增補新版／1995／110×160mm／316頁

【目錄】古典的影子／對治學方法的反思／文學史的非完結性／批評與文學史——對學院派的疑問／「解讀」行為／即物之道——關於本居宣長／作為古典的《吉野之鯰》／詩人與歷史學家／《萬葉集》與《歎異抄》的結合／學問的散文／斷章14篇／學界偶感／有關「解釋」的備忘錄／後記／文庫版解說語

作者簡介

西鄉信綱（Saigo Nobutsuna, 1916-2008）

古典學者，專攻日本文學。出生於日本大分縣。在考入東京帝國大學英文系之後，又重新考入日本文學系並最終畢業於該系。戰後，兼任橫濱市立大學和法政大學的教授。提倡對以「記紀神話」、《萬葉集》等古代文學為中心的日本文學研究進行改革，與歷史學家石母田正共同主導了戰後日本的人文科學革新運動。另外，作者還在吸取了二十世紀人類學、神話學、現象學和批判理論的基礎上，深化了對日本古典作品的解讀。一九六〇年，作者作為倫敦大學的客座教授旅英三年，接觸了二十世紀五〇年代出版的英國社會人類學研究的豐碩成果，為解讀作為「禮儀、祭祀、演劇」的《古事記》的神話世界找到了方法論上的一個新立足點，更深化了二十世紀涉及西歐古典學、現象學、批評理論的文學研究方法。但是，其方法論中視野的寬闊絕非僅僅產生於對西歐最新理論的攝取，而同時在於作者將口述語言與文字相結合，以獨特的方式提煉語言，並直接面對從神話、詩歌到演劇、小說等形式多樣的日本文學作品，進入這些作品的世界來理解這些作品。就像法國文學的研究者蓮實重彥將其評價為「戰後最大的批評家」那樣，他的作品超越了學問、批評等專業領域而獲得了讀者的廣泛支持。一九七〇年，作者因故離開了大學，之後，致力於小規模的研究會和專注於寫作直到晚年。一九八九年，歷經四分之一世紀的《古事記註釋》終於完成。一九九五年，作者被推選為文化特殊貢獻者。主要著作有《萬葉私記》、《詩的產生》、《日本古代文學史》、《古代人與夢》、《神話與國家》、《解讀源氏物語》、《古代之聲》等。全九卷的著作集已出版。

（龍澤武撰　史歌譯）

東亞人文100

JP-14

佐竹昭廣

萬葉集抜書

對日本最古老的詩歌集《萬葉集》的解讀，在文獻學上存在著一個絕對的制約，即古代日語沒有自己的文字，而是用從中國借來的漢字標註發音，《萬葉集》最初就是這樣完成的，但原書早已散佚，而流傳至今的抄寫本也都無法追溯到從完成（八世紀）直到平安時代中期（九世紀）的這一長段時間，連古代日本宮廷裡的知識家們讀解《萬葉集》也有困難。研究《萬葉集》存在著的難題是，首先，將文字形成以前的口述語言的韻律凝練成詩的語言的經驗將如何復原；其次，古人對於作為外來語的漢字、漢語和漢文是如何發音並理解其意義的，以及日語因此被豐富化，日語的意思又是如何被擴充的。在日本詩學和文學的歷史上擁有至高無上地位的《萬葉集》的語言，實際上會僅僅因為一個字的不同讀法而完全發生改變。接近古代人的詩的經驗有一定的困難，在歷史裡，對《萬葉集》一直充斥著主觀恣意的「解釋」，而這也成為《萬葉集》被看做天皇制意識形態溫床的一個重要理由。

作者在本書中對《萬葉集》的語言意義的探討，從方法論上講是基於結構主義語言理論的，作者的目的是闡明詞彙的結構及其歷史的變化，並通過逐字逐句的縝密和徹底的文獻學考證來進行實證的解讀。但又不止如此，作者通過後世日語發展的廣闊空間，打破了《萬葉集》研究在文獻學上所受的限制。古代文獻史料和文學作品自不必說，作者還自如地引用了中世的傳說、物語草子、能劇、狂言、近世的笑話、淨瑠璃、歌舞伎、落語、民俗詞彙以及近現代小說中的語言，來對語言意義進行探究。博覽強記的作者從眾多作品中將其中的核心語言和句子作為例證摘出，在整理日語歷史變遷的同時，具有說服力地將《萬葉集》中某個詞彙的意思逐漸確定下來。本書作者對古代、中世的日語直至現代日語無不精通，同時具有語言學家、文獻學家、考證學家的縝密及文學家的韌性和感性，在這本精選論文集中對萬葉詩和詩語做了精采的解讀。

《萬葉集拔書》 佐竹昭廣 著

岩波書店／1980

「岩波現代文庫」／2000／339頁

【目錄】 萬葉・古今・新古今／「看」的世界／古代語言中的內部語言形式問題／古代日語中的色名的特點／詞彙的結構和思考的形式／關於意思的變化／意思的變遷／和語與漢語／五七五七七／「都」「曾」的某些場合／訓詁學／人麻呂的一首短歌／海路的兩首歌／調史首見路邊死屍作歌一首／「諍」還是「淨」？／《萬葉集》正文批判的一種方法／初稿發表年代一覽／現代文庫版後記／解說

作者簡介

佐竹昭廣（Satake Akihiro, 1927-2008）

日本文學家、國語學者。作者作為國文學家的同時，也是編纂《岩波古語辭典》的國語學者。在舊制東京高中念國中讀書時，年僅十八歲即在自本居宣長以來備受好評的《萬葉集》中發現了古語的法則，並發表於《文學》雜誌，一舉在國語學和語言學界引起震動。一九五二年畢業於京都大學日本文學專業。任學習院大學副教授後，於一九六〇年任京都大學副教授。以《萬葉集》研究為主，同時廣泛涉獵中世的故事書、民間傳說、狂言、近世小說、古典落語，以及明治以後的近現代文學等。一九九三年任國文學研究資料館館長。晚年從事岩波新古典文學大系《萬葉集》四卷的校訂和註解工作。主要著作有《下克上的文學》、《民間傳說的思想》、《酒吞童子軼聞》、《古語雜談》、《萬葉集再讀》等。有《佐竹昭廣著作集》（全六卷）。

（龍澤武撰　史歌譯）

東亞人文100
JP-15

鶴見俊輔

戰爭時期日本精神史

作者十五歲即前往美國，在哈佛大學專攻哲學，所學以實用主義哲學為主。隨著一九四一年十二月太平洋戰爭的爆發，作者於一九四二年乘坐日美兩國交換滯留人員的船隻返回日本，後以日本海軍文職人員的身分在印尼的雅加達工作，因病被遣返日本，親歷戰敗。如上經歷不僅在語言和文化方面，更在作者的精神世界留下了獨特印記，由此產生了一位獨特的、成為戰後日本之代表的傑出思想家。

本書之原型為作者一九七九年九月至一九八〇年三月於加拿大麥吉爾大學（McGill University）授課所用的講義，譯成日文後，由岩波書店以《戰爭時期日本精神史：一九三一—一九四五年》之名於一九八二年五月出版，並獲朝日新聞社同年度的大佛次郎獎。

作者選取了中日戰爭開始的一九三一至日本戰敗的一九四五年這段時間來考察日本的精神史，其用意何在？日本思想形成的歷史總是離不開對海外書籍的引進。尤其是明治以後對歐美書籍的翻譯，不僅極大地影響了之後日本人思考問題的方式，還與保留下來的傳統生活方式一起，規定了日本人的日常生活模式。但作者認為，其中唯一例外的就是戰爭時期。「那是個一說起思想，就說成是『歐美種』的時代，幾乎所有國產以外的思想都被人們遠離，日本人就生活在這種近乎鎖國的狀態下，我就想從這種日子開始寫起。」

這樣的一個例子在本書開頭的〈關於「轉向」〉一節裡就可看到：在這樣的「鎖國」狀態下，曾經接受了馬克思主義和共產主義影響的共產黨員和知識分子曾經經歷了怎樣的心路歷程？「思想的科學」研究會在《共同研究・轉向》（平凡社，一九五九—一九六二）中的研究成果也在本書中得到了集約的記載。而且，本書不以特定的思想家或著作作為分析對象，而是試圖從普通市民的日常生活中讀取思想的形態，作者的這一構思在書中得到了淋漓盡致的體現。在這個意義上，本書可以說是鶴見俊輔這一獨特哲學家和思想家的精華之作。

作者在麥吉爾大學所寫講義的後半部後來也已成書——《戰後日本的大眾文化史：一九四五—一九八〇年》，由岩波書店於一九八四年出版發行。

《戰爭時期日本精神史：一九三一—一九四五年》 鶴見俊輔 著

岩波書店／1982／128×188mm／268頁（另有「岩波現代文庫」二〇〇一年版）

【目錄】 如何接近一九三一年至一九四五年的日本／關於「轉向」／鎖國／關於「國體」／大亞細亞／「非轉向」的形態／日本之中的朝鮮／以非史達林化為目標／玉碎的思想／戰時的日常生活／核爆炸的犧牲者／戰爭的終結／回顧／後記

作者簡介

鶴見俊輔（Turumi Shunsuke, 1922-）

哲學家。一九四二年於哈佛大學畢業後，乘坐「二戰」期間的日美滯留人員交換船回國。日本戰敗之後，與渡邊慧、都留重人、丸山真男、武谷三男、武田清子、鶴見和子一起創辦刊物《思想的科學》，呼籲將哲學交還給市民。主要從實用主義立場將美國哲學介紹到日本，並從事大眾文化史研究等團體活動，出版書籍多種。一九四九年任京都大學人文科學研究所副教授，一九五四年任東京工業大學副教授。一九六〇年抗議日美安全保障條約，辭去該校教授職務。之後執教於同志社大學。反對日美安保條約的修訂，組織了市民團體「無聲之聲會」，並在一九六五年日本市民反越戰運動的「實現越南和平市民聯合會」（簡稱「越和聯」）中發揮了核心作用。一九七〇年，反對員警進入大學干預學生運動，辭去同志社大學教授職務。一九九四年獲朝日獎。著述豐富，有《鶴見俊輔集》（全十二卷，筑摩書房）、《鶴見俊輔座談》（全十卷，晶文社）、《鶴見俊輔書評集成》（全三卷、MISUZU書房）等等。

（守田省吾撰　莊娜譯）

東亞人文100
JP-16

藤田省三

精神史的考察

本書收錄了作者於二十世紀七〇年代發表的數篇批判性文章與論文，是作者作為戰後日本批判性知性之代表的一部最好的論集。從古代末期直至現代，本書的各篇文章都將各個歷史轉換期的時代經驗作為精神史的問題來挖掘，為批判現代日本社會的知識頹廢狀況提供了基本的視角，因此本書形式上雖然是論文集，卻又是一部在一貫的指導思想之下完成的作品。而且，本書也被外界普遍認為呈現了作者在一九六〇年代以前政治思想史方法論上的巨大轉變。作者面對「現代存在著人類史的問題群」，也遭遇政治和社會危機崩壞現象。作者在這樣的現象中，從古典學、人類學、二十世紀的批判哲學理論中，透過徹底批判不斷嘗試攝取、精煉不同方法路徑，這本書就是詰問展現出的結果。

在本書的第一篇文章〈一種喪失的經驗——捉迷藏的精神史〉中，作者從孩子們在路上玩的「遊戲」和「童話傳說」講起，從這些在現代已日漸喪失的細微經驗中發掘其中包含的人類史的意義，並以此為線索，對扭曲了想像力、把理性吸收殆盡、被物質文化所掩埋的社會做出了尖銳批判，並借助班雅明和布萊希特的思考，提出要將「經驗」中多義的相互主體性與批判理性重新結合起來。「歷史劇的誕生」則解讀了伴隨古代天皇制國家的解體而登場的中世敘事詩故事的意義。〈對吉田松陰的精神史意義的考察〉一文一改以往形成的吉田松陰印象，將松陰的樸素與愚直置於幕藩體制崩潰的整體「狀況化」過程中，淋漓盡致地描寫了其喜劇與悲劇。〈歷史的變質時代〉以對福澤諭吉「立國乃個人之事，非公家之事」一句的巧妙解讀為軸心，分析了維新改革之精神已大大變質的明治中期之思想狀況。本書收錄了作者在思想史和精神史領域的代表作，其文本解讀之銳利、分析論證之確切、思考之強韌，充滿了難以超越的知性衝擊力。

《精神史的考察》 藤田省三 著
平凡社／1982
「平凡社文庫」／2003／110×160mm／301頁

【目錄】一種喪失的經驗——捉迷藏的精神史／歷史劇的誕生——對《保元物語》主題的考察／對吉田松陰的精神史意義的考察／歷史的變質時代／市村弘正「都市的周邊」／「昭和」是什麼——元號批判／戰後議論的前提——關於經驗／脫離的精神／批判性理性的敘事詩——阿多諾《最低限度的道德》／新品文化／後記／文庫版解說

作者簡介

藤田省三（Fujita Shozo, 1927-2003）

專攻思想史、精神史。生於日本愛媛縣。在東京大學法學部時是丸山真男討論課的成員。一九五二年，以員警侵害大學自治為契機，加入日本共產黨，後退黨。被視為丸山真男政治思想史和戰後歷史學最為優秀的繼承者，深孚眾望。一九五三年成為法政大學法學部助教。一九五六年發表的論文〈天皇制國家的支配原理〉是一部對近代天皇制的內部構造做出透徹剖析的劃時代作品。受鶴見俊輔邀請，加入《思想的科學》雜誌主辦的轉向研究會，與鶴見俊輔一起成為《共同研究・轉向》三卷本著作的核心執筆者。其銳利的分析與透徹批判性的思考貫通普遍主義的姿勢，自認為是「戰後精神的最終運動者」。一九七一年辭去法政大學教授職務，在MISUZU書房和平凡社從事組織市民討論會和古典討論會的活動。一九八〇年重回法政大學。主要著作有《天皇制國家的支配原理》、《維新的精神》、《現代史斷章》、《轉向的思想史的研究》、《全體主義的時代經驗》等，合著有與久野收、鶴見俊輔以座談形式寫就的《戰後日本的思想》。有《藤田省三著作集》（全十卷），收集了作者的絕大部分著作。

（龍澤武撰　莊娜譯）

東亞人文100

JP-17

前田愛

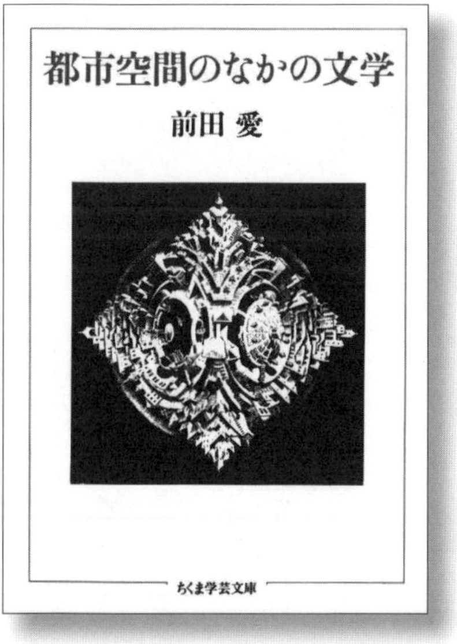

都市空間中的文學

本書將鶴屋南北的《四古怪談》、森鷗外的《舞姬》、樋口一葉的《青梅竹馬》、夏目漱石的《過了春分時節》、橫光利一的《上海》、川端康成的《淺草紅團》等從近世以至現代的文學作品作為後設文本（meta text），把作品中出現的江戶（東京）、柏林、上海等城市抽取出來形成的都市空間作為文本，從文本和潛文本（subtext）的相互關係中，「通過文學文本的解讀，使作為有生命的空間的都市浮現而出」。近代的都市不僅作為實體的都市存在著，還是在不同的代碼（code）中被符號化、語言化的空間，在這個意義上，可以說都市就是一種文本，也可以說都市就是存在的歷史。作者在本書中借鑑了羅蘭・巴特、班雅明、傅柯、喬治・布萊、加斯東・巴什拉、博爾諾夫等現象學和符號學，和現代批評理論的研究成果，在都市的文本中細緻考察日本近代文學的變遷，以統一了都市空間代碼與文學代碼的文化符號學為視角來解讀，優美生動地刻畫了江戶到明治的東京，明治到大正、昭和的現代都市東京的變遷，也就是近代日本的「空間精神史」。

當懷疑，且感到以往「以作家為主體以及以自我為中心」的日本近代文學研究已經行不通時，感到不滿足的作者提出了「把作為實體概念的作者（作品中的人物）放到關係概念的括弧中去」，由此對以往的範式提出了明確的異議。不僅是近代的都市，而且被作為實體對待的自我也是在都市空間中由語言、事物和身體形成的網絡中被多層次決定了的關係性的存在，即結構。作者試圖以把這種結構相對化甚至解體的方式，開拓文學批評的新視界。這是作者在本書中的另外一個意圖。

據說作者也曾走過很多現實中的都市。他不僅徜徉在作為後設文本的小說世界中的都市，還在作為文本的現實的都市中自由漫步。正是由於這種文本之間往來足跡的輕巧，才使這部書成為近代日本文學批評史上稀有的一冊。

《都市空間中的文學》 前田愛 著

筑摩書房／1982／148×214mm／526頁

「筑摩學藝文庫」／1992／105×148mm／672頁

作者簡介

前田愛（Maeda Ai, 1931-1987）

日本文學研究者、文藝評論家。完成東京大學文學部日本文學專業博士課程。在學時，熱中戲劇活動。立教大學教授。一九八一年被招聘在芝加哥大學擔任客座教授，引起美國的日本研究風潮，吸收了後結構主義批評理論。專業為近世文學、近代文學。在精確考證的基礎上，積極吸取了文化符號學、文本學及相近諸學科的新動向，不斷為近代文學研究開拓了新的領域。然而，在一九八七年突然早逝，大家都非常惋惜。主要著作有《前田愛著作集》（全六卷）、《幕末維新期的文學》、《近代讀者的成立》、《成島柳北》、《鎖國世界的映射》、《幻影的明治》、《樋口一葉的世界》、《近代日本的文學空間》、《幻影之街——在文學的都市中漫步》、《文學文本入門》等。

（渡邊英明撰　莊娜譯）

東亞人文100
JP-18

中井久夫

分裂症與人類

作者是日本著名的精神科醫生，尤其是他詳細記錄統合失調症（以前稱為精神分裂症）恢復過程的一系列論文及其藝術療法，對於以往將「陪在患者身邊」為暫定目標的日本精神醫學拓寬研究思路而言是個新的契機。而且作者與患者實際接觸所得到的臨床經驗，也為思考醫患關係提供了重要啟示。

本書寫於作者五十歲之前的數年間。統合失調症和抑鬱症是否與某種文化或地域具有親和性、精神醫學和精神病院這種近代出現的制度是如何起源的，為了解答這些疑問，一直從事對統合失調症的臨床治療及案頭寫作的作者，查閱了大量文獻，並發揮了文學的想像力，終於完成此書。儘管作者說是潛藏在自己內部的「執拗」促使他寫作這本書，但它已成為我們重新審視「現在」時不可或缺的一面明鏡。

本書由三章構成。在第一章「分裂症與人類——預感、不安、願望思考」中，作者預感到統合失調症是一種有廣泛基礎的病症，以此為出發點，作者追溯到狩獵民的敏感的認知特性，以及農耕社會與強迫症的親和性，以人類學的方法分析統合失調症易患者與近代的關係。在第二章「執著氣質的歷史背景——作為重建倫理的勤勉與刻苦」中，作者指出「執著氣質」作為容易患抑鬱症的一種性格，與德國所說的「悲傷」（melancholy）不同，是土居健郎的「嬌寵」概念無效的結果，並以二宮尊德和赤穗浪士等為例，展開了對江戶時期日本文化的獨特考察。

本書的精華部分是占全書篇幅一半以上的第三章「西歐精神醫學背景史」。在這一部分裡，作者以西歐近代之前長期存在的女巫獵殺現象作為主線，從古希臘開始一直考察至近代。這並不僅僅是一部西歐精神醫學的歷史，而是一項開創性的考察。通過將考察的重點置於背景因素之中，作者也對處於精神醫學這一制度性框架之外的事物保持了關注，並試圖將似乎是普遍性的「西歐精神醫學」相對化。其中作者指出了動力精神醫學淵源於森林與平原之間的文化，不僅如此，這一章是足以對艾倫伯格（Henri F. Ellenberger）的《發現無意識》做出補充的首創性作品。這一論證的更為詳細的版本——《西歐精神醫學背景史》已作為專著由MISUZU書房於一九九九年出版。

《分裂症與人類》 中井久夫 著

東京大學出版會／1982／128×188mm／252頁

【目錄】第一章 分裂症與人類——預感、不安、願望思考 序 1．「領先」式的結構 2．狩獵民的認知特性 3．農耕社會與強迫症的親和性 4．近代與分裂症易患者 5．人類學的優勢／第二章 執著氣質的歷史背景——作為重建倫理的勤勉與刻苦 1．「嬌寵」的斷念 2．倫理的重建者——二宮尊德 3．重建與社會改革 4．世俗倫理的盲點 附：自我抑制的倫理——武士階級／第三章 西歐精神醫學背景史

作者簡介

中井久夫（Nakai Hisao, 1934-）

精神科醫生。一九五一年進入京都大學法學部，後轉入醫學部，一九五九年畢業。最初做病毒研究，在東京大學附屬醫院工作時轉向精神醫學。一九七五年任名古屋大學副教授，一九八〇年任神戶大學教授。阪神大地震時在兵庫縣設立的心理救助中心任第一任所長。專門以統合失調症為中心內容的論文收入《中井久夫著作集》（全六卷＋別卷二），之外還有《精神科治療記錄》、《治療文化論》、《徵兆・記憶・外傷》，以及《記憶的肖像》等多本隨筆集。

（守田省吾撰　莊娜譯）

東亞人文100

JP-19

井筒俊彦

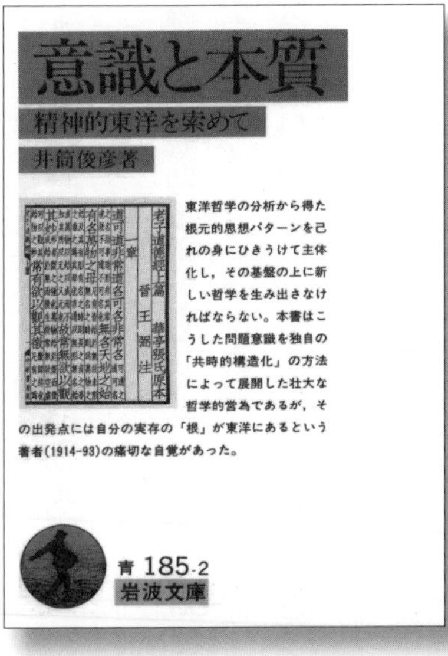
意識と本質
精神的東洋を索めて
井筒俊彦著
東洋哲学の分析から得た根元的思想パターンを己れの身にひきうけて主体化し，その基盤の上に新しい哲学を生み出さなければならない。本書はこうした問題意識を独自の「共時的構造化」の方法によって展開した壮大な哲学的営為であるが，その出発点には自分の実存の「根」が東洋にあるという著者(1914-93)の痛切な自覚があった。
青 185-2
岩波文庫

意識與本質

追求精神層面的東洋

雖然早已是世界知名的伊斯蘭哲學研究者，井筒俊彥出現在日本讀書界卻相對較晚，這與他的著作多是用英語發表有關。在伊朗爆發伊斯蘭革命，霍梅尼率軍回國的前一天，擔任伊朗皇家哲學學院教授的井筒俊彥離開伊朗返回日本。之後，井筒俊彥的哲學思考開始轉向東洋哲學的建立。這本《意識與本質：追求精神層面的東洋》就是作者這一研究所達到的一個頂點，最初於一九八〇至一九八二年連載於《思想》雜誌上。

作者從幼年起即跟隨在家修禪的父親經歷了嚴格的禪修，喜歡閱讀禪的書籍，經歷了形而上學的、神祕主義的原初體驗。得益於天才般的語言天賦，作者閱讀了多種語言的思想類文獻，並從中抽取其世界觀作為基本的研究手法。在這思想的、語言的研究中，他逐漸確信人類存在著共通的、普遍的東西，並嘗試將其體系化。他在早期從事希臘神祕思想、伊斯蘭思想和《古蘭經》語言哲學的研究，在中期研究波斯、伊斯蘭哲學，後期則將佛教思想、老莊思想和朱子學等盡皆納入研究視野，這為作者後來探索精神性的東洋做了極好的準備。

作者所說的「東洋」囊括了從希臘以東直至日本的廣闊領域。晚年的作者將東亞、印度、伊斯蘭和猶太世界中的神祕思想放在超越各自歷史文脈的層面上，以類型論的方式加以把握，並致力於在共時的視野中建立「東洋哲學」的結構。作者把佛教唯識論中的阿賴耶識，即我們意識不到的、位於最深層的「識」應用於語言意義學，把它稱做「語言阿賴耶識」。雖然有多少種語言就有多少種思想、世界觀和價值觀，但從「語言阿賴耶識」來看，這都是儲藏人類共通的具有普遍意義的東西的場所或「種子」，是以語言、風土和民族性為媒介結晶而成的意義結構體。「語言阿賴耶識」和表層意識的隱約的連結中，還存在著另一個重要的存在論角度。對作者來說，與意識、本質相異的另一個重要的命題「語言」，在比較正確的意義上來說，語言就是喚起存在，再現存在世界的東西。如此持續展開思考，就能清晰掌握東洋哲學裡的認識，是意識和存在之間複雜多層的連結。作者在這樣思考的同時，把從哲學分析中得來的根源性思考模式內化於自身，並在此基礎上試圖產生出新的哲學。這本書達到這樣的目的，且被法國現代思想家賈克・德希達稱為「巨匠」的作者為二十一世紀的人類留下的一筆巨大的哲學財富。

《意識與本質：追求精神層面的東洋》　井筒俊彥　著

岩波書店／1983／128×188mm／436頁

【目錄】意識與本質——東洋哲學的共時性構造化／本質直覺——伊斯蘭哲學斷章／禪的語言的意義問題／對話與非對話——關於禪學問答的一個考察／後記

作者簡介

井筒俊彦（Izutsu Toshihiko, 1914-1993）

生於東京。一九三七年畢業於慶應義塾大學文學部。任慶應義塾大學文學部教授至一九六三年。之後任加拿大麥吉爾大學教授、伊朗皇家哲學學院教授。日本學士院會員、巴黎國際哲學研究院正式會員、瑞士Eranos會議成員。專攻語言哲學、伊斯蘭哲學。主要著作有《伊斯蘭思想史》、《伊斯蘭的誕生》、《伊斯蘭哲學的原像》、《伊斯蘭文化》、《意義之深處：東洋哲學的基準》等。此外還翻譯了《古蘭經》日語全譯本，並有《井筒俊彥著作集》（全十二卷）及多部英文著作。

（加藤敬事撰　莊娜譯）

東亞人文100

JP-20

白川靜

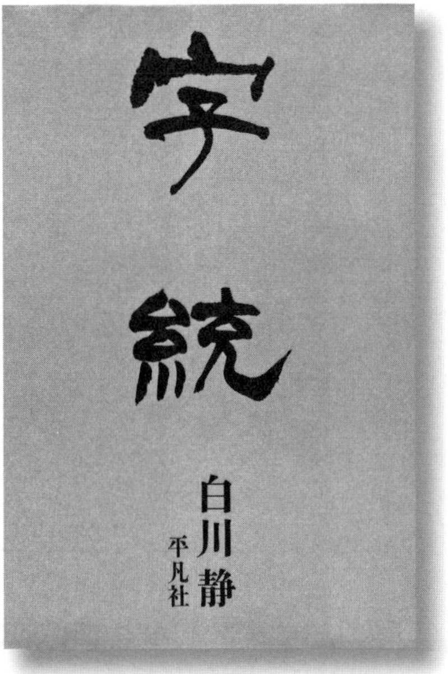

字統

中國最早的系統性字源辭典《說文解字》的作者是東漢的許慎（西元一〇〇年左右），他當時能夠參考的唯一資料，應當是秦朝統一文字時出現的秦篆。但是，隨著二十世紀考古學的發展，比許慎時代還要早一千餘年的大量的甲骨文和金文資料得以呈現在我們面前。漢字是同時具備形、聲、義三種元素的象形文字。因此，對於漢字來說，存在著一種有別於「語言學」的「文字學」。作者白川靜根據最新發現的資料，大膽參與了由「說文學」轉換而來的「文字學」的研究，並為漢字起源問題提供了具有里程碑意義的重要方法，使「漢字學」研究出現了一個重要的轉捩點。《字統》便是這一努力的結晶。

文字所反映的正是人類的思維和生活，因此古代文字研究必將涉及古代研究的諸多領域。作者將古代人意識中對生活、習慣、禮儀、宗教以及科學技術等方面所持有的觀念與文字的形象相結合，做了深入研究。這是一項將文字體系和存在的秩序相對照、再現文字形成時代面貌的偉大嘗試。中國文字最初作為體系出現的標誌，是被稱為殷代甲骨文的卜辭。用龜甲和牛骨進行占卜的人是王室的蔔者，問卜的是王，給予答案的是神，而龜甲和牛骨上記錄的文字便是神的旨意，被作為卜兆而保存下來。在古代王朝中，王權是通過宗教權威來發揮作用的，帝王通過神權的神聖性來統治國家。在商周時代，祭事即政事。作者通過對漢字雛形、初義的研究，揭開了作為神聖文字的漢字在最初形成時期的神祕面紗。

作者在甲骨文、金文學領域的研究成果有陸續發表的《甲骨金文學論叢》十集，一九五五至一九六二年由立命館大學文學部中國文學研究室以油印本刊行，二〇〇八年分為兩冊收入平凡社出版的

《白川靜著作集‧別卷》；《金文通釋》五十六輯，一九六二年八月至一九八四年三月連載於白鶴美術館刊行的雜誌，二〇〇四至二〇〇五年分為七卷九冊收入平凡社出版的《白川靜著作集‧別卷》。在文字學領域，出版了對《說文解字》進行綜合性、批判性論述的《說文新義》（全十六卷）。作者在《金文通釋》和《說文新義》中的大量觀點被譯成中文，成為臺灣「中央研究院歷史語言研究所」專刊《金文詁林補》（全八冊，五千餘頁）的主要組成部分。

作者作為字典編纂者，完成了解釋字源的《字統》、探究已日語化的漢字根源的《字訓》，以及綜合性文字學著作《字通》這三部曲。《字統》大約收錄了七千個漢字。如果說漢字是在文明發展的最初階段，囊括了無文字時代的意識而被形象化的事物，那麼對於漢字字源的探究，必將成為理解東方文化精髓的一個重要的出發點。《字統》雖為文字學著作，但作為古代文化的研究資料亦必不可少。漢字文化圈的研究者也不應僅僅局限於傳授文字知識，而應通過作為一種文字的共有者的意識來思考東方文化的價值。作者編寫該書的目的也正在於此。

《字統》白川靜　著

平凡社／1984／182×257mm／1134頁（另有新訂版和普及版）

作者簡介

白川靜（Shirakawa Shizuka, 1910-2006）

生於日本福井縣。小學畢業後，在大阪的一家律師事務所工作，同時在夜校上課。一九三五年成為立命館中學的教師。一九四三年畢業於立命館大學法文學部漢文學系，並成為該大學預科班的教授，一九五四年成為該大學文學部教授。一九五五年印行了《甲骨金文學論叢》第一集油印本，之後一共印行了十集。一九六〇年印行《詩經研究》（共三冊）油印本。其後在大阪—神戶由中國古典愛好者組成的「樸社」授課，講義被收錄結集為《金文通釋》（共五十六輯，於一九八四年完成）、《說文新義》（共十六集，於一九七四年完成）。一九七〇年，出版了最初的普及著作《漢字》，之後相繼出版了《詩經》、《金文的世界》、《孔子傳》等。在一九八四至一九九〇年的六年間，完成了字書三部曲——《字統》、《字訓》、《字通》。二〇〇四年被授予文化勛章。

（加藤敬事撰　史歌譯）

東亞人文100
JP-21

二宮宏之

整體觀視野與史學家們

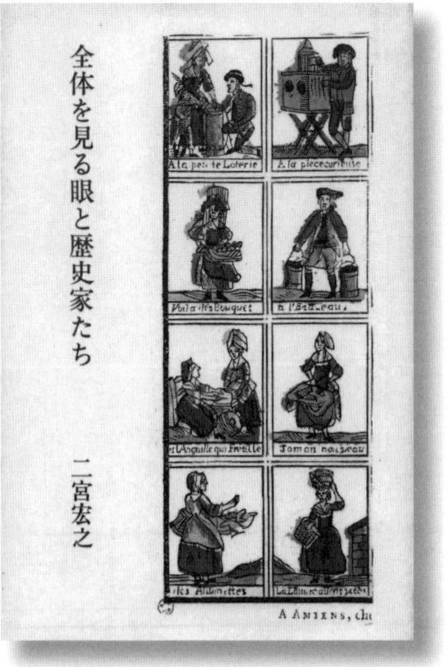

對歷史學家來說，「整體的視野」是什麼？

一九二九年，法國歷史學家呂西安・費弗爾與馬克・布洛赫共同創辦了《經濟與社會史年鑑》，後來就習慣上稱他們為「年鑑學派」沿用至今。當時歐洲的歷史學受到十九世紀歷史主義的影響，一方面是實證主義的歷史學，另一方面則漸趨專業分化，出現了如政治史、宗教史、思想史等建立在一定框架之上的史學分析方法。費弗爾與布洛赫認為，歷史學家本來就應以「曾經活著的人」為對象，而不是處理如死屍殘片一樣的部分，應該建立一種「活著的歷史學」。在面對所有的事件時，都要將其放在與整體的關聯中來思考，應當在與現在的對話中掌握過去。費弗爾與布洛赫把這作為歷史學的新課題。這一課題在後來，如在布羅代爾的學位論文〈菲力浦二世時期的地中海與地中海世界〉中得到了實現。這既不是單純的對實證主義的批判，亦不是將斷片拼接起來形成一個整體，而是廣泛地搜羅各種文獻加以深層閱讀之後，將這些文獻與對象在結構上建立某種聯繫，由此形成一個整體的構圖，在此視野之下展現曾經活著的人與活著的時代。這也是對過去與現代的關係的一種考察。所謂「整體的視野」，就是在了解這種做法之困難的同時面對對象的態度。

作者極早就開始關注法國的「新史學」，以歷史學為主向日本的學術界和評論界介紹年鑑學派的思想，並在自己的專業法國近世史中貫徹年鑑學派的理念。除了對網野史學形成影響之外，作者還在思想和方法上對二十世紀七〇年代後半期之後的日本社會科學提供了重要的建議。

本書出版當時，日本許多人常使用「社會史」這個字彙。作者認為這個用語已在日本固定了。但是，這詞彙並不是只被當作狹義的「社會」來使用。作者繼承了呂西安・費弗爾賦予「社會的」

（social）形容詞意義作用的傳統，「全體」的東西被先驗肯定命題，為了避免歷史再度成為其框架的俘虜，採用所謂「社會史」的表現。應該也可以說社會史更拒絕自我設限，不斷從框架裡長出的過程裡，創造它的積極意義。

本書收集了作者在不同時期發表的有代表性的二十五篇論文。從〈歷史的思考及其位置：從實證主義歷史學到整體性的歷史學〉、〈歷史的思考的現在〉等史學批判文章，到〈法國絕對君主制的統治構造〉、〈歷史中的「家」〉、〈七千個棄兒〉等歷史研究及社會史文章，每篇的內容及風格都體現出作者不停留在單純引進西方學術成果，而是嘗試開拓新的領域的努力。這部書因此成為現代的經典之作。

《整體觀視野與史學家們》　二宮宏之　著

木鐸社／1986／128×188mm

「平凡社文庫」增補版／平凡社／1995／110×160mm／418頁

【目錄】第一部　整體的視野　整體的視野與歷史學家／歷史的思考及其位置／歷史的思考的現在／社會史的課題與方法／第二部　歷史學家的工作場域　社會史中的「集團心理」／法國絕對君主制的統治構造／歷史中的「家」／七千個棄兒／作為社會史的食生活史／第三部　社會史斷章　Charivari

作者簡介

二宮宏之（Ninomiya Hiroyuki, 1932-2006）

畢業於東京大學。曾執教於東京外國語大學、電氣通信大學、Ferris女子學院大學。一九八二年，和阿部謹也、良知力、川田順造共創《社會史研究》期刊。著作有《歷史學再考：從生活世界到權力秩序》（日本Editor School出版部）、《閱讀馬克・布洛赫》（岩波書店）、《論法國的舊秩序：社會的結合・權力秩序・叛亂》，譯著有法國芒德魯（Robert Mandrou）的《大眾流行讀物的世界》（合譯，人文書院）、賈克・勒高夫（Jacques Le Goff）的《歷史・文化・表象：年鑑學派與歷史人類學》、羅伯特・達恩頓（Robert Darnton）的《革命前夜的地下出版》（合譯，岩波書店）等。

（守田省吾撰　莊娜譯）

東亞人文100
JP-22

多木浩二

岩波現代文庫
学術76
多木浩二
天皇の肖像
岩波書店

天皇的肖像

經歷了倒幕運動後，明治政府得以確立，然而作為其權力象徵的天皇卻近乎一個「看不見」的存在，與民眾的關係極為疏遠。在以天皇親政為旗號實現維新的大久保利通等明治初期的政治家看來，天皇與民眾的疏離無益於新國家權威的樹立，為了營造明確的政權更替的印象，實現並穩固天皇親政的政治，他們意識到必須走天皇「權力視覺化」的道路。因此明治政府首先安排天皇進行一項政治活動——全國巡幸，目的是將天皇帶到民眾近前，使民眾意識到天皇權力的存在。明治初的政治家們已經意識到了一種把天皇「展現給民眾看」的迫切需要。巡幸告一段落後，「御真影」的製作就提上了日程。「御真影」是「天皇的肖像」，也是一張特別的、極具政治色彩的照片。在本書中，作者將「御真影」的產生過程像推理小說一樣做了細緻入微的描寫。

「御真影」先由政府聘用的義大利雕刻家Edoardo Chiossone繪製出原畫，再由丸木利陽拍攝而成，因此它既是照片，又不算是真正的照片。包括明治天皇的西裝問題在內，如何為作為近代國家之理想的元首製作肖像，這一「創造出來的肖像」又對權力的確立產生了何種作用，作者在本書中展現了一種圍繞著天皇肖像的「視線的政治學」。

這樣形成的「御真影」從明治二十二年（一八八九）開始被下發到初等教育機關。作者特別關注的是，這流通的體系。下發的程式本是政府接受自下而上提出的民意要求後再發放，但「御真影」卻將這一程序顛倒過來，採取了直接下發的形式。正由於「下發」這一體系的存在，一個階層化的社會終於顯現，將「御真影」與天皇視為一體的設置得以完成。通過社會的階層化，國家的統治也終於實現。而且，作者關注大量複製的照片，認為是天皇獲得同一性的過程。作者把照片等同於被照者的神聖性為前提，描寫個人心性透過禮儀行為而被集團化的過程，其實是非常扣人心弦的論點。這樣一來，接收下發「御真影」的儀式與教育敕語的誦讀緊密結合起來，國民被徹底轉化成臣民，天皇制國家這一民眾無法脫離的政治空間終於形成。

本書採用了與以往偏重制度論的政治學完全不同的視角，即「挖掘包含在可視事物的經驗之中卻不易被看見的政治過程」，成為一部在近代日本史研究中具有開創意義的著作。

《天皇的肖像》 多木浩二 著

「岩波新書」／岩波書店／1988／115×173mm／252頁（另有「岩波現代文庫」版）

【目錄】 序章／第一章　從看不見的天皇到看得見的天皇／第二章　和魂洋才與明治維新／第三章　巡幸的時代／第四章　「御真影」的誕生／第五章　理想的明治天皇像／第六章　「御真影」產生的政治空間／結語／參考文獻

作者簡介

多木浩二（Taki Koji, 1928-）

思想家、批評家。專業領域為藝術學與哲學。東京大學文學部美學美術史專業畢業。歷任東京造形大學教授、千葉大學教授。評論橫跨攝影、繪畫、建築、城市、符號、時裝等多個藝術領域，深入文化、社會的深處，暴露潛藏於其中的政治性，是善於解讀人與物、人與世界、歷史的獨創性藝術批評思想家。著作豐富，有《生活過的房子》、《眼的隱喩》、《「物」的詩學》、《相片的誘惑》、《戰爭論》、《班雅明《機械複製時代的藝術作品》精讀》等。

（渡邊英明撰　莊娜譯）

伊谷純一郎

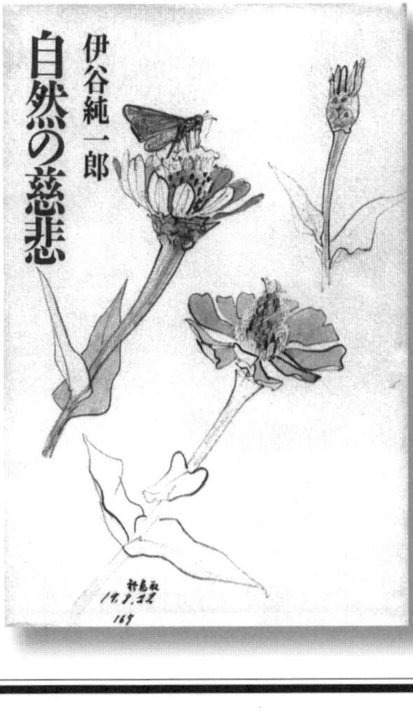

自然的慈悲

本書作者與今西錦司一起使被稱為「猿猴學」——以京都大學為中心的日本的靈長類動物研究達到世界最高水準，並宣導建立靈長類學和生態人類學學科。作者證明了除人類外，靈長類動物的世界與基本的「家族」有所關聯，也存在著基本的「社會」構造，這一發現對現代進化論產生了重大影響。正如作者自己所說：「觀察者要意識到突然展現在眼前的現象的重要性，同時要凝神觀察並持續記錄……這些發現後來就成了形成理論的重要契機。」作者的研究業績正是基於對自然、野生動物以及人類的徹底觀察，而這本書就是集中了作者思考之精華的一部論文集。

作者的研究足跡遍布有野生猿猴棲息的日本各地，並一直延伸到非洲的大草原和森林。作者更將田野對象擴展到生活在非洲惡劣自然環境的燒田農耕民族和遊牧民族，提倡生態人類學。作者徹底觀察了生活在肯雅的半沙漠地帶、受到旱災侵襲的遊牧民圖爾卡納（Turkana）族的牧畜和燒田農耕生活，並由此展開了對生活在不同自然條件下——或水土豐腴或環境惡劣，甚至是極限的自然條件——的人和動物、植物共生的生活及社會根本形式的思考記錄。作者將他在田野調查中產生的來回思考、往返日本中產生的深度自省和對現代社會的安靜批判、作者的思考軌跡，在一篇篇平實而又巧妙的文章中表達出來。雖是一部小小的論文集，但同時也是反映戰後日本一位卓越的自然科學家的明澈知性與智慧的一部日語名文集。

《自然的慈悲》 伊谷純一郎 著

平凡社／1990／128×188mm／286頁

【目錄】 洛北隨想／野鳥雜記／「猿猴學」逸事（靈長類的食性奇聞　靈長類的巢穴　家族以前　不道德的種群　關於次序　偷盜的猿猴）／非洲斷章（悠久與轉變　喀麥隆的森林　椰子酒　喀麥隆的猩猩酒）／低地大猩猩（非洲的市場　月之虹　非洲的三十年　為了保護非洲自然環境的戰鬥　關於非洲的再思考）／自然的慈悲（接近圖爾卡納族　圖爾卡納族的繪畫　啟程　遊牧民圖爾卡納族的孩子們　自然的慈悲）

作者簡介

伊谷純一郎（Itani Junichiro, 1926-2001）

生於日本鳥取縣，長於京都市。靈長類動物學家、生態人類學家。一九五一年畢業於京都大學理學部動物學系。先是研究日本猿猴的生態，從二十世紀五〇年代開始在非洲原野調查黑猩猩、大猩猩等靈長類生物的生活形態，與老師今西錦司一同發現了靈長類動物也存在著社會構造。圍繞著是否存在被「社會」孤立的猿猴，以及猿猴群體「自我」意識的問題，與其師今西展開了非常激烈的著名的爭論。此外還提倡將田野調查的對象擴展到在非洲惡劣的自然環境下生存的燒田農耕民和遊牧民，提倡生態人類學，力圖實現跨越自然學科和人文學科的跨學科研究。一九六二年任京都大學副教授，一九八一年任該大學教授。在京都大學創立了非洲研究所。一九八四年獲得有「人類學諾貝爾獎」之稱的湯瑪斯・哈克斯利獎，是迄今為止獲此獎項的唯一一位日本人。由於深厚的文學造詣，作者也以文學家著稱。除了一些英文的專業論文之外，還出版了《高崎山的猿猴》（獲每日出版文化獎）、《大猩猩和俾格米人的森林》、《大旱魃》、《靈長類社會的進化》、《當自然微笑的時候》、《原野和森林的思考》等日語著作。有《伊谷純一郎著作集》（全六卷）。

（龍澤武撰　史歌譯）

東亞人文100

JP-24

諾爾瑪・菲爾德（Norma Field）

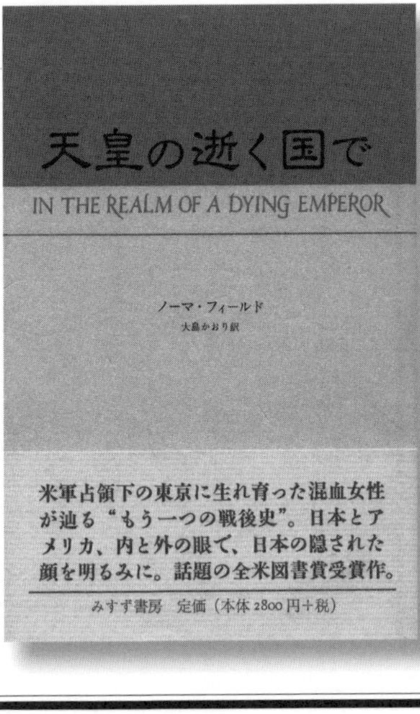
天皇の逝く国で
IN THE REALM OF A DYING EMPEROR
ノーマ・フィールド
大島かおり訳
米軍占領下の東京に生れ育った混血女性が辿る“もう一つの戦後史”。日本とアメリカ、内と外の眼で、日本の隠された顔を明るみに。話題の全米図書賞受賞作。
みすず書房　定価（本体2800円＋税）

在天皇逝去的國度

作者出生於第二次世界大戰後美軍占領下的東京，父親是美國人，母親是日本人。高中畢業後前往美國，在普林斯頓大學獲博士學位，之後執教於芝加哥大學至今，主要教授日本文學和日本文化。

「這是一本嘗試對裕仁之死這一社會事件進行觀察的書。也嘗試著去思考十五年戰爭（太平洋戰爭）造成的數目龐大的死亡，以及活在世界上最大的經濟成功之下、雖生猶死的日常生活的實質。同時，這也是向那些與輕易的忘卻及炫目的消費誘惑相抗爭的人們，以及一貫地在現在與過去之間進行對比思考的人們獻上敬意的一本書。」

一九八八至一九八九年，在昭和天皇罹病直至死亡的時間裡，作者恰好身處東京，親歷了這一歷史性的時刻。天皇的病情天天在媒體上被反覆報導，日本全國上下節制娛樂活動，陷入了一種「自慎的全體主義」。對於這一天皇逝去國度的過去與現在、榮耀與罪惡試圖做出總結的作者因此前往沖繩、山口和長崎。

在本書中登場的人物是因違反了「服從體制的常識」、在某天突然不再是「普通人」的三個人。在沖繩舉行的國民體育大會上燒燬「日之丸」旗的知花昌一、反對將加入自衛隊後殉職的丈夫合祀在靖國神社並提起違憲訴訟的山口縣的中谷康子，以及在發言中指出天皇亦應擔負戰爭責任而遭受槍擊的長崎市長本島等，這三人身上發生的事件無一例外都出現於昭和時代的結束期，並隱祕地揭示了日本的文化及社會構造。作者從具體的市民生活的觀點出發記述了這三個人的故事，同時也穿插了作者本人與日本的家庭成員之間的故事。

就讀於基地內的美國人學校、成長於許多日本人並不知曉的「戰後」、現在仍「漂游在太平洋上空」的作者，將自己的個人歷史重疊於其間展現的這一現代日本的故事，超越了主題之新鮮及分析之縝密，成為一部獨具前所未有之魅力的作品。本書原以英文寫成，日文版乃由美國的英文版翻譯而來。

《在天皇逝去的國度》　諾爾瑪・菲爾德（Norma Field）著

MISUZU書房／1994／127×188mm／368頁

【目錄】序言／「悲傷的反論」（詩）／序曲／I　沖繩——一個超市經營者的故事／II　山口——一個普通的女人／III　長崎——市長／終曲／後記　關於戰後美歐諸國「對日本的教訓」（Japan Bashing）

作者簡介

諾爾瑪・菲爾德（Norma Field, 1947-）

主攻日本文學、日本文化。芝加哥大學東亞語言與文化專業教授。以英、日兩種語言發表作品多種。著作有以博士論文為基礎的《《源氏物語》：夢想之光》，以及《外婆的祖國》、《我不是怪孩子》、《在二十一世紀應如何閱讀小林多喜二》，另與加藤周一、徐京植合著《為了教養的再生》。

（守田省吾撰　莊娜譯）

東亞人文100
JP-25

市村弘正

細微事物的諸形態

精神史備忘錄

收入這本小書中的論文寫自一九八九年。人類的歷史在二十世紀短短一百年的時間內變得面目全非。人與物的關係、人與社會的關係都發生了根本性的改變。商品化和單一性幾乎侵入到社會生活的每個角落，經驗可發揮的餘地越來越小。在這種情況下，我們應該思考什麼問題、怎樣思考，又應該和什麼人一起思考呢？對於深藏破壞性因素的二十世紀精神來說，一個辦法就是建立一種能與以往以歷時性記述為特徵的思想史進行正面交鋒的「精神史」。這也是一種伴隨著專業分化、帶有深刻啟示的「備忘錄」式的敘述方法。

本書試圖通過「細微事物」中包含的殘酷性來掌握現代世界的面貌。這也是「對細微事物的拯救」。從「流亡」、「收容所」等二十世紀特有的極限概念，到「友情」、「家族」等本應形成社會的概念，「貧民」、「在日朝鮮人」等被賦予了負面印象的概念，以及「夢」、「殘像」、「落下」等象徵性的概念，都需要作為包含未來形態的課題被分解，捕捉更正，並重新提出。本書所說的不是所有的否定性，而是要謹慎選擇「細微事物」中包含的否定性。作者在這種否定性中，企圖探究精神歷史的可能性。作者此後把「細微事物」這一觀念重新定義為「帶有某些具體性的同時又在內部鐫刻著的『具體的普遍』」（《閱讀的生活方式》，平凡社二〇〇三年版）。

收入本書中的近半數論文都曾發表在一本稱為《省察》的小雜誌上。一些在共有「他者性」的同時進行思考的小型研究會和讀書會在二十世紀七〇年代以後仍繼續存在著，但是到了八〇年代，似乎已無法忍受「單一性」的入侵一般，這些小型研究會和讀書會的存在變得更為困難。作者幾乎是把《省察》作為進行這種嘗試的最後一個場所。也許在這裡存在著向「思考」的某種「轉變」。

《細微事物的諸形態：精神史備忘錄》　市村弘正　著

筑摩書房／1994／128×188mm／208頁（另有「平凡社文庫」版）

【目錄】 細微事物的諸形態／文化崩潰的經驗／回答友情點名的聲音／貧民的城市／夢的辯證法／「殘像」文化／家族這一場所／會思考的語言／在日第三代的卡夫卡／落下的世界／使經驗「經典」化的備忘錄／後記

作者簡介

市村弘正（Ishimura Hiromasa, 1945-）

思想史研究者。在大學及研究生階段學習思想史與社會哲學。現為法政大學法學部教授。主要著作有《命名的精神史》（MISUZU書房，後收入「平凡社文庫」）、《作為標識的記錄》（日本Editor School出版部）、《戰敗的二十世紀》（世織書房，後收入「筑摩學藝文庫」）、《閱讀的生活方式》（平凡社）、《這個時代的機緣》（與吉增剛造合著，平凡社）、《社會的喪失》（與杉田敦合著，「中公新書」）等。

（渡邊英明撰　莊娜譯）

東亞人文100

JP-26

林達夫

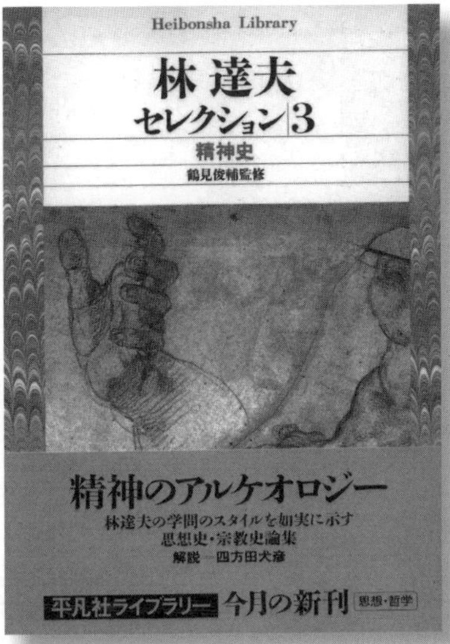

精神史

在六卷本《林達夫著作集》的基礎上，平凡社出版了文庫本《林達夫選集》共三卷，本書即是其中的第三卷。作為本書書名的「精神史」，是原本發表於一九六九年《岩波講座・哲學》的一篇小論文的標題，並有副題「一種方法概論」。這篇論文儘管僅有六十頁，但解讀了李奧納多・達・文西的聖安娜與聖母子像，以及達・文西與米開朗基羅各自創作的「麗達」，並由此展開了對文藝復興與巴洛克時期西歐精神中宇宙觀的探索，是作者晚年的傑作。作者的「精神史」並非歷時性的哲學史或思想史，而是著眼於共時性知識視野的擴展和構造，是「對精神的考古學研究」。要完成這一任務，哲學自不必說，還必須對神話學、圖像研究、戲劇理論和人類學等具備廣博的學識才可能做到，而作者低調踏實的作風亦以對龐大文獻群的精確引用為支撐。由於其廣博的知識、巧妙的文風以及自由的批判精神，作者成為近代日本最卓越的西洋學派知識分子，並備受尊敬。作者在一九四六年完成本書，包括首篇〈對三木清的懷念〉是作者對哲學家三木清的思念，三木清是作者從京都大學以來的友人，在戰敗後直接在牢獄裡去世。還有作者自己翻譯了柏格森的《笑》，作者認為《笑》在二十世紀戲劇理論與哲學史的演變中占有一席之地、揭示其「野生思考」之律動的最後一篇論文〈在伯格森之後〉在內，選入本書的論文和隨筆都是作者戰前和戰後所寫評論的精華。

《精神史》　林達夫　著

「平凡社文庫」／平凡社／2000／110×160mm／384頁

作者簡介

林達夫（Hayashi Tatsuo, 1896-1984）

思想家、歷史學家。從事西方精神史研究。幼年生活在父親擔任外交官的任職所在地美國西雅圖。一九二三年以京都大學哲學系選科生身分畢業。在私立大學擔任講師的同時，從一九二七年起參與岩波書店的雜誌《思想》的編輯工作直至第二次世界大戰結束。其在西方哲學及文化研究的深厚積澱之上形成的反諷語言風格及自由主義的批判精神長期以來備受矚目，但作者卻堅持與學院式的學問劃清界線，以編輯、批評家及大學講師為職，一貫堅持在野學者的立場。在二十世紀三〇年代曾擔任「蘇維埃友人會」的出版部長和唯物論研究會幹事。在戰爭期間發表〈開店停業的必要〉、〈歷史的黃昏〉和〈關於宗教〉等文章，批判服從戰時國家體制的「日本人的心性」。但當一九四一年以後出版界採取了協贊戰爭的步調之後，作者便不再發表文章，保持一貫沉默，在湘南鵠沼過其半隱居的生活，這幾篇文章遂成為戰爭期間作者的最後之作。

第二次世界大戰之後，參與中央公論社、岩波書店和平凡社的出版活動，發表了傑出的關於文藝復興的研究論文以及批判性的隨筆類文章。曾任平凡社一九五九年完成的《世界大百科事典》的總編輯和總指導。一九七三年榮獲朝日獎。雖算不上多產，但其作品仍超越了不同的立場和年代，被同時代的中野重治、石川淳，後一時代的花田清輝、加藤周一、鶴見俊輔，以及戰後時代的大江健三郎、山口昌男等眾多知識分子高度評價，至今仍被廣大讀者閱讀。主要著作有《歷史的黃昏》、《反諷的精神》、《思想的戲劇論》（與哲學家久野收的對談）等。譯著有伯格森的《笑》、法布林的《昆蟲記》（合譯）、伏爾泰的《哲學通信》等。著作大部分收錄在《林達夫著作集》中。

（**龍澤武撰　莊娜譯**）

韓國

東亞人文100

KR-01

金九

白凡逸志

《白凡逸志》是金九先生的自傳，他是韓國著名的獨立運動家、和平統一運動家。金九先生號白凡，一九四九年被暗殺。這部自傳在韓國有幾十種版本流傳，是韓國人喜愛的、具有代表性的國民教育讀物。

《白凡逸志》之所以受到韓國人民的追捧，有三個方面的原因：一是該書生動地描寫了近代韓國巨變時期一個普通老百姓成長為獨立運動領袖的全過程，即從平凡到非凡的成長過程；二是無論是金九的前輩兼政敵李承晚，還是其後的尹譜善、張勉、朴正熙等國家領袖，都幾乎沒有留下自傳，雖然有他人編寫的評傳，但其意義肯定遠不如本人親自撰寫的自傳，而且該書是唯一一部被暗殺的國家級領袖人物撰寫的自傳，具有特殊的意義；三是通過該書記載的金九先生的各種旅行記、經歷以及韓國獨立運動過程中的各種祕史，可以窺見在一般史書中看不到的歷史的另一面。

在海外出版《白凡逸志》是一件非常有意義的事情。這是因為，首先，通過韓國最受尊重的領導人——金九先生饒有趣味的自傳，可以理解近代韓國波瀾壯闊的歷史；其次，通過《白凡逸志》可以超越朝鮮半島直面東亞所面對的共同問題，即十九世紀西歐文明對東亞的衝擊、國家主權維護，以及二十世紀韓、中、日三國的矛盾和連帶問題；第三，金九先生領導的獨立運動的過程可以概括為與中國緊密聯繫的反日運動，而《白凡逸志》可以提供從鄰國的角度了解當時的中國和日本的歷史和人物的契機。

韓國首版《白凡逸志》由國史院於一九四七年十二月出版，當時金九先生還在世，但由於政局不穩的原因，他非常繁忙，沒有時間仔細校對。由於種種原因，國史院版本不僅沒能修正原稿的錯誤，甚至有的內容還與原稿背道而馳。國史院版本出版大約一年半後，金九先生被暗殺，這部書也就成為禁書。

一九六〇年李承晚政權倒台後《白凡逸志》再版，但在原稿沒有公開的情況下，大部分內容仍以國史院版本作為底本。《白凡逸志》的原稿於一九九四年公開，都珍淳教授於一九九七年出版了在原稿基礎上通過註釋加以完善的《註解白凡逸志》，該書二〇〇二年被列為韓國MBC電視台的推薦書。為了便於外國人閱讀，都珍淳教授重新整理出版了簡化版的德語版本，在二〇〇五年法蘭克福書展入選「韓國的100本書」。在德語版的基礎上，又添加照片和地圖重新編訂，二〇〇五年出版了《易讀的白凡逸志》。

《白凡逸志》 金九 著

初版／國史院／1947

修訂版／DOLBEGAE（石枕社）／1997／152×225mm／500頁

【目錄】上冊／1. 黃海道鄉下的童年／2. 嚴峻的社會進入期／3. 狂風暴雨的青年期／4. 徬徨與摸索／5. 殖民的磨難／6. 流亡之路／下冊／1. 上海臨時政府時期／2. 李奉昌和尹奉吉的義舉／3. 避難與流浪的時期／4. 重返民族運動的前線／5. 重慶臨時政府與光復軍／6. 解放前後

作者簡介

金九（Kim Koo, 1876-1949）

日本侵略時期大韓民國臨時政府主席，抗日民族運動領袖，參加過一八九四年甲午東學農民戰爭。一八九六年殺掉日本軍陸軍中尉土田壤亮後被捕判了死刑，但一八九八年越獄。一九〇〇年開始開展愛國啟蒙運動，其後流亡到中國上海擔任大韓民國臨時政府的內務總長、國務總理、主席。一九二八年以民族主義者為中心組建了韓國獨立黨。一九三二年組織了韓人愛國團，指揮暗殺日本侵略者的事件，李奉昌、尹奉吉等義舉是代表性的成功事例。一九四五年八月十五日解放後回國，開展了反對莫斯科美英蘇外相會議聲明的韓國信託統治案，和李承晚樹立單獨政府的運動。一九四八年為建立統一政府倡議南北協商並前往朝鮮舉行政治會談但失敗。一九四九年被現役軍官安鬥熙暗殺。

（昌原大學歷史學教授都珍淳撰　喬禹智譯　白玉陳譯校）

東亞人文100

KR-02

咸錫憲

從「含意」的視角看韓國歷史

咸錫憲是二十世紀韓國具有代表性的思想家，同時也是與民眾一起共同經歷韓國艱難的二十世紀之見證人。他是一位對錯誤的政治、輿論、宗教等進行毫無保留的批判和抵抗的活動家、社會人士，因此隨著時代的更迭屢遭壓迫甚至被關進監獄。本書是在民族受難的過程中，咸錫憲雕琢出來的韓國歷史的雕像，它映射出統治者的虐政以及被頻繁侵略的民眾所受的苦難。咸錫憲稱韓民族為「受難的女王」，他重新敘述的韓國歷史不再是史書，而是用心書寫的民族的故事，也是大敘事詩。

在這部書中咸錫憲設定了貫通韓國歷史的幾個基調，而這些基調就是他的歷史觀。其關鍵字就是苦難、民眾（氏）、攝理、進步（進化）、宗教。

一、苦難史觀：韓國歷史對其主人公——老百姓來說是一部受難的歷史。對內，他們被不義的統治階層所掠奪；對外，不斷受到侵略達五六十次。咸錫憲的苦難史觀從基督教得到了靈感，他將耶穌個人的人格形象引用到民族。「痛苦」在佛教中也是核心概念，而咸錫憲把個人層面的痛苦擴大昇華到集體、民族層面，並對其進行再解釋。他的苦難史觀也從在日本留學時接觸過的基督教思想（主要是無教會主義）、羅丹的雕塑、印度詩人泰戈爾的詩《受難的女王》得到了靈感。他把國土面積的縮小視為導致受難歷史的外部根本原因，而內部原因則是自我審視和自覺的不足。

二、民眾史觀：在苦難的歷史中，主人公不是統治階層或英雄人物，而是民眾。這部書不是以王朝為中心來記述歷史，而是觀照大多數民眾的苦難和人生的民族史、民眾史。民眾的代表就是新的英雄（「民眾」進化為「氏」）。咸錫憲的民眾思想，從二十世紀七〇年代開始成為盛行韓國社會的民眾運動潮流的意識形態基礎。民眾運動本身進而演化為咸錫憲強調的非暴力和平主義，又引導了政治民主化。

三、攝理史觀：歷史是「攝理之串」，而導演則是「攝理之手」，即上帝；「攝理的上帝」在歷史的背後一直起作用，而人則擁有自由意志。攝理觀與宿命觀不同，根據民眾的意識水準，歷史的下一頁隨時可以改變，他認為朝鮮經歷過日本的慘痛侵略還不夠，因此神再賜予了「六・二五」的考驗。

四、進步史觀或進化史觀：正如生命的歷史是發展、成長一樣，歷史是進步而且是「絕對的進步」。咸錫憲的歷史觀不是循環史觀而是螺旋式的進步史觀。與人生一樣，歷史也分成四個階段——發生期、成長期、鍛鍊期、完成期。過去東西方互相對立，但是未來的課題是「東西綜合」，因而上升為更高的歷史階段。歷史有其含意和目的。咸錫憲否定唯物史觀，認為相對於物質，精神的發展才是進步、進化的內容。這一點與預測精神發展的德日進神父（Teilhard de Chardin）的思想有些相像。其主張相對於個人，發展和進化的主體是民眾及全體的觀點也與德日進相通。

五、宗教史觀：對咸錫憲而言，宗教意味著終極價值和境界，他熱切盼望出現「可帶來生命的更高階段進化的新宗教」。他的宗教觀從單一宗教（基督教）擴大為普遍宗教和宗教多元主義。此書的原名為《從聖書的立場看朝鮮歷史》，但一九六一年改為《從「含意」的視角看韓國歷史》。但這部書的基調仍然是基督教的歷史哲學及《聖經》的歷史觀，只不過拋棄了《聖經》是唯一根據的排他主義立場。

本書從整體上反映了咸錫憲的思想如何逐步走向成熟，從中可以看出超越民族主義、國家主義的世界主義，超越個人主義的全體論，超越社會科學化、數量化的民眾的人文化、質變的「氏」的思想，非暴力和平主義，改革、革命、進化思想等咸錫憲所樹立的獨特的思想的萌芽。

《從「含意」的視角看韓國歷史》　咸錫憲　著

初版／第一出版社／1965

修訂版／Hangil社／2003／152×225mm／504頁

【目錄】第一部：重新書寫的歷史／第二部：浮上來的歷史與沉下去的歷史／第三部：好了嗎　好了嗎　好了嗎／第四部：苦難裡的含意

作者簡介

咸錫憲（Ham Seok Heon, 1901-1989）

對二十世紀韓國現代史影響最大的思想家，通過橫跨宗教、教育、人權、言論等多個領域的實踐及著述活動，為韓國民主主義發展做出了巨大貢獻。穿梭東西古今，點破人之道與生命的本質，他的文章使人達到深刻的精神覺悟的境界。被稱為「靈魂的革命家」，深究生命思想與和平思想。曾兩次被提名為諾貝爾和平獎候選人。主要著作有《給氏的信》、《這種腳步直到死亡》、《地平線那一邊》等。他留下的數量眾多的文章被編輯成《咸錫憲全集》（全二十卷，一九九三）、《咸錫憲著作集》（全三十卷，二〇〇九）。

（仁荷大學名譽教授、宗教哲學專家金榮鎬撰　喬禹智譯　白玉陳譯校）

全相運

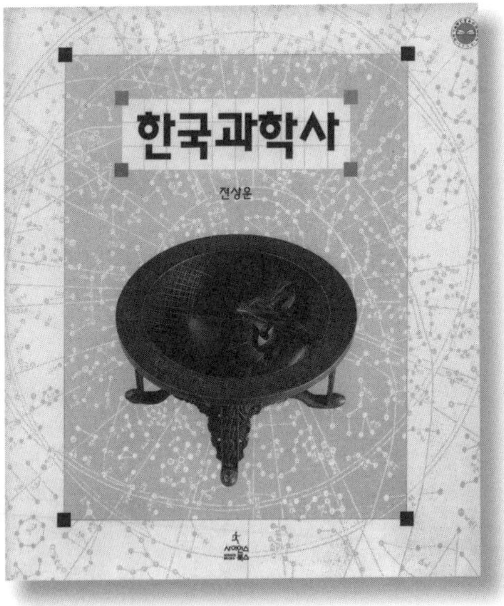

韓國科學史

我想以一句「他的全部人生之路指向了韓國科學通史的執筆及完成」來表達全相運的學術歷程。一九六〇年左右，全相運跨進韓國科學史的研究領域，一九六六年他的處女作《韓國科學技術史》（即《韓國科學史》的初版）問世。當時全相運公開宣布：「我的第一步工作有很多不足之處，我計畫每十年出一個修訂版。」果然，十年後的一九七六年第一部修訂版如期問世，但再過十年，到一九八六年他卻沒能守約，除了由於擔任大學校長、理事長等工作過於繁忙之外，更主要是因為他身患癌症。又過了十餘年後的二〇〇〇年，他再一次遵守自己的約定，貢獻出非常精采的《韓國科學史》修訂版。

如果沒有李約瑟的《中國的科學與文明》（即《中國科學技術史》），全相運能否寫出《韓國科學史》？當他開始韓國科學史的研究時，恰逢李約瑟的書（總論一卷，天文學兩卷）出版。李約瑟博大精深的《中國的科學與文明》成了全相運確定研究主題、制定研究標準的尺度。全相運回憶說：「對我的學問歷程影響最大的導師是李約瑟。」

「歷史學要嚴謹且具有實證性，不能為了鼓吹民族意識而拿出虛無縹緲的研究結果。」這是前輩研究者也是導師的洪以燮教導全相運的核心所在。全相運遵從這個核心，不拘泥於「世界第一、國內第一」，認為立足於大家公認的資料和恰當的分析之上的歷史解釋是最重要的。他揭示出韓國的天文學、氣象學、地理學、化學、金屬冶煉、印刷術的歷史，揭示出韓國科學技術傳統的「優秀水準」。

全相運的研究一直在深化、在擴充。他在美國準備英文版的出版時，英文版編輯、東亞科學史大師席文（Nathan Sivin）要求充分的論證和冷靜的分析。作為外國人，他不容許薄弱的證據和邏輯上的跳躍。該書韓語版的書名《韓國科學技術史》，英文版被改為《韓國的科學和技術》（*Science and Technology in Korea*），原因亦即在此。他認為從嚴格意義上講，全相運的書描述的是韓國科學技術的各個領域，而不是通史。此後，全相運進行更為深刻、細緻的研究，以日文出版了韓國科學史的總論《韓國科學技術創造性的淵源》。其間，日本的中國天文學史、數學史研究權威、京都大學的藪內清教授成了他的導師，言傳身教，使他了解科學史研究需要如何細緻嚴謹。

特別需要指出的是，二〇〇〇年出版的本書修訂版刪掉了書名中的「技術」一詞。在此，全相運提出了韓國科學的新範疇，即天的科學、土和火的科學、地的科學，並增加了韓國的印刷技術、古代日本及韓國科學、朝鮮時代的科學家和他們的成果等內容。全相運一直以自己建立的範疇進行研究，並完成了對自己的研究成果的整合。

《韓國科學史》 **全相運 著**

初版／科學世界社／1966

修訂版／正音社／1976

修訂版／Sciencebooks／2000／188×257mm／442頁

【目錄】

作者簡介

全相運（Jeon Sang Woon, 1928-）

韓國科學史研究的開拓者。首爾大學化學系畢業後，在日本京都大學獲得文學博士學位。歷任聖信女子大學教授及校長、京都大學客座教授、延世大學國學研究院客座教授、國史編撰委員會委員、劍橋大學李約瑟研究所及哈佛大學燕京研究所研究員、韓國科學史學會會長、韓國科學技術翰林院元老會員、科學技術處政策諮詢委員等。主要著作有《韓國科學技術史》、《韓國的科學文化文物》、《韓國的古代科學》、《時間、鐘錶與歷史》、《韓國科學史的新的理解》等。曾獲得韓國出版文化獎、科學技術獎、桐柏勛章等。

（韓國科學技術院教授、科學史專家申東原撰　喬禹智譯　白玉陳譯校）

東亞人文100

KR-04

金斗鐘

韓國醫學史

一九六六年出版的《韓國醫學史》是韓國醫學史研究的集大成之作。該書以一九五四年出版的涵蓋了韓國高麗時代及之前的韓國醫學史研究成果的《韓國醫學史》（上中下）為基礎，並進一步補充了韓國醫學其他各個歷史時期的情況。

與學術上的競爭對手——日本學者三木榮的殖民史觀相對立，作者金斗鐘的基本歷史觀強調了韓國醫學的自主發展，並且這種歷史觀的差異在古代史部分更加明顯。三木榮肯定了漢四郡的歷史事實，他認為韓國醫學的發展受到了中國的影響和支配，由此弱化了韓國醫學自主發展的事實。三木榮還將古朝鮮時期看成神話和傳說的時代，而金斗鐘則把古朝鮮看做是真正存在的歷史時期。儘管目前沒有任何古朝鮮時期的文獻資料，但金斗鐘強調了文物的重要性，他盡可能地將目前找到的最早的朝鮮半島的醫療活動痕跡作為歷史物證。其中，新石器時代的砭石被金斗鐘看做針灸起源的證據。

金斗鐘在本書序言中表示：「要盡自己所能，撰寫一部不背離韓國文化思想背景的醫學史，而非單純的技術史。」他的這些努力在古代史部分有所體現。但是，之後的敘述則偏重於對史料的整理。當然，作者本人也承認這些不足。究其原因，主要是受到了時代和環境的制約，我們不能因此而歸咎於作者。一般來說，先充分積累對個別主題的研究成果，以此為基礎來編寫通史是正常的順序，但是在金斗鐘編寫《韓國醫學史》的時候，相關領域的研究幾乎是空白的。因此，即使僅僅是對原始史料做一次系統的梳理，也是一項非常龐大的工作。儘管《韓國醫學史》存在一些不足，但由於該書忠實於原始的第一手資料，因此，它作為歷史書的生命力比任何其他相關書籍都持久。

另外，雖然金斗鐘本人的專業是韓國醫學史，他也想凸顯韓國醫學的獨創性，但他並沒有犯那些國學研究者常犯的毛病——國粹主義。金斗鐘主張「學問先於民族」，他認為「只強調民族，不僅會侵害學術的自由，且實難做出真正的學問」。金斗鐘對醫學史這個領域所具有的廣闊視野，是醫學史本身作為一種學問所給予的。他通過醫學史研究發現了一個事實，那就是並不存在百分之百純粹的某個民族固有的醫學。

實際上，從《韓國醫學史》的敘述可以看出，韓國醫學在三國時代受到了中國醫學和隨佛教一道傳來的印度醫學的影響，在高麗時代則受到了中國醫學和阿拉伯醫學的影響。而且，就算深刻影響韓國醫學的中國醫學，從一開始也就並非單獨存在的純粹的「中國」醫學，它也受到了印度、阿拉伯以及西洋醫學的影響。這些事實證明了以一國為中心的醫學史的撰寫方法存在明顯的局限性。金斗鐘的《韓國醫學史》為打破這種局限做出了很明顯的努力。也就是說，早在半個世紀之前，他就開始通過醫學史的研究，強調了從世界史的角度來分析一國歷史的理論方法的重要性。

《韓國醫學史》 金斗鐘　著

探求堂／1966／152×225mm／584頁

作者簡介

金斗鐘（Kim Doo Jong, 1896-1988）

為韓國醫學史研究做出傑出貢獻的醫學家。一九二四年京都附屬醫專畢業，一九二八年滿洲醫科大學畢業，其後在滿洲醫科大學東洋醫學研究所以醫學史研究獲得醫學博士學位。一九四五年任朝鮮紅十字社（大韓紅十字會的前身）的首任保健部長，一九四七年任首爾大學醫學教授，一九四七至一九四九年兼任首爾大學醫院院長，一九五七至一九五八年在美國霍普金斯醫科大學研究醫史學。美國醫史學協會會員、法國醫史學協會會員、國際醫史學會會員。歷任韓國學術院會員、淑明女子大學校長、科學史學會會長等職。主要著作有《韓國醫學史》、《韓國醫學文化大年表》、《韓國醫學發達與西南方的影響》等。此外，研究各種古書的版本、序、跋等編撰了《韓國古印刷技術史》，為書志學發展也做出了貢獻。獲得學術院著作獎、文化勛章、大統領獎、韓國出版文化獎等。

（延世大學教授、醫學家呂寅碩撰　喬禹智譯　白玉陳譯校）

東亞
人文
100
KR-05

李基白

韓國史新論

本書初版名《國史新論》，於一九六一年由第一出版社出版。經大幅修改後，於一九六七年由一潮閣以《韓國史新論》的書名出版。之後，一九七六年出了修訂版，一九九〇年出了新修版，一九九九年出了韓文版，均由一潮閣出版。在此期間，本書出版了包括英文版在內的多種語言版本，在國際上被視為韓國史概論的代表性著作。

本書的一大特點是以統治勢力的變化為基準系統論述韓國史的發展，而不是傳統的以王朝為中心的區分法，或者是按古代、中世、近代的三分法。李基白認為，從「原始共同體社會」開始的韓國史，其統治勢力的社會基礎逐漸弱化，以統一新羅的專制政治為轉捩點，其統治基礎反而逐漸加強，最終發展為全體國民參與政治的民主國家。這種以統治勢力為中心考察韓國歷史的方法是本書首創。

此外，作者把大量參考文獻列入參考欄，使這部書起到了韓國史研究入門書的作用；而且由於每一次出修訂版都最大限度追加收錄了學術界的最新研究成果，因此本書的各個修訂版又成為反映當時韓國歷史研究水準的集大成之作。本書特別強調韓國歷史的民族自主性。尤其是，作者批判了日本帝國主義御用歷史學家所強調的半島性質、事大主義、黨派性等的殖民主義歷史觀，關注如何系統、正確理解由韓民族自主展開的韓國歷史問題。作者既主張韓國史的獨立性及特殊性，也強調與世界史的普遍性的關聯，即對韓國歷史發展規律的正確理解同樣也適用於其他民族，與對世界歷史發展普遍規律的理解一脈相通。綜合而言，作者在本書中的主要關注點是在批判、克服殖民主義歷史觀的基礎上，強調韓國民族歷史的特殊性和普遍性，力圖闡明韓國歷史的發展就是自由與平等的概念逐步擴大的過程。

作者除本書之外還有很多專著和史論，還以「韓國史市民講座」的形式促進韓國史的大眾化。作者一生獻身於韓國史研究，以力圖打破妨礙正確認識韓國史的舊框架為追求，堅守歷史真理。

作者認為，「學問的理想是尋找真理並公之於眾，而放棄真理的學問對民族一無是處」，並強調「對民族的熱愛和對真理的信仰是一致的」。不可否認，當本書所體現的作者的這些信念和學術成就被正確理解、繼承時，韓國史學才能被真正提升到歷史學的境界，從韓國歷史中找尋出的發展規律也就成為有助於理解世界歷史的普遍規律之一。

《韓國史新論》 李基白 著

初版／第一出版社／1961

韓文版／一潮閣／1999／176×248mm／456頁

【目錄】 序章　韓國史的新的理解／第一章　原始共同體社會／第二章　城邑國家與聯盟王國／第三章　中央集權貴族國家的發展／第四章　專制王權的建立／第五章　豪族時代／第六章　門閥貴族社會／第七章　武人政權／第八章　新興士大夫的登場／第九章　兩班社會的建立／第十章　士林勢力的登場／第十一章　廣作農民與都賈商人的成長／第十二章　中人階層的抬頭與農民的叛亂／第十三章　開化勢力的成長／第十四章　民族國家的胎動與帝國主義的侵略／第十五章　民族運動的發展／

作者簡介

李基白（Lee Ki Baik, 1924-2004）

開拓民族史學，力推韓國史大眾化的第一代歷史學家。一九二四年出生於平安北道定州。一九四二年入日本早稻田大學歷史系，一九四七年畢業於首爾大學史學系。歷任梨花女子大學、西江大學、翰林大學史學系教授，翰林科學院客座教授、梨花女子大學講座教授。六、七〇年代，帶頭克服日本的殖民史觀，二十世紀八〇年代以後開闢了「韓國史市民講座」，努力推動韓國史大眾化。主要著作有《國史新論》、《韓國史新論》、《高麗兵制史研究》、《新羅思想史研究》、《高麗貴族社會的形成》等，代表性著作和論文收入《李基白韓國史學論集》。曾獲得學術院獎（著作）、仁村獎（學術領域）、庸齋學術獎、國民勛章牡丹獎、國民勛章木槿花獎等。

（翰林大學教授、歷史學家金龍善撰　喬禹智譯　白玉陳譯校）

東亞人文
100
KR-06

金元龍

安輝濬

韓國美術的歷史

《韓國美術的歷史》是在《新版韓國美術史》（金元龍、安輝濬合著，首爾大學出版部，一九九三年）的基礎上，追加了新出現的作品及最新研究成果的、具有代表性的韓國美術史概論性著述。而《新版韓國美術史》則是在一九六八年出版的已故金元龍教授的《韓國美術史》（範文社），以及該書一九七三年增補版的基礎上完成的。

本書由緒論和九章正文，以及附錄、圖版目錄、參考文獻目錄、索引等組成。緒論裡論述了「韓國美術的性質」和「韓國美術史的區分」，以區別於其他韓國美術史的概說書。緒論的第一章「韓國美術的性質」通過「韓國美術的本質」與「外來美術的吸收」敘述了韓國美術的特色、美的性質、韓國美術與外來美術之間的影響關係等。緒論的第二章「韓國美術史的區分」的第一部分「地域區分」把韓國的文化圈分為五個區域，第二部分「時代區分」則按照美術樣式及特色變化區分了時代。

正文第一章到第九章把近代以前的韓國美術按通史進行分類後，把各個時代的美術品按領域分類並進行了整理。即將先史時代、高句麗、百濟、新羅、伽耶、統一新羅、渤海、高麗、朝鮮時代的美術細分為時代概觀、繪畫、雕刻、工藝、建築分別加以敘述。在第一章先史時代中，不僅記述了反映朝鮮半島古人生活和祭禮儀式的岩刻畫，而且以考古發掘的遺物為基礎，記述了陶器、青銅器等工藝品和雕刻品。第二章到第五章論述了高句麗、百濟、新羅、伽耶的美術，但側重點有所不同，高句麗以佛像和作為世界文化遺產的古墓壁畫為主，百濟以武甯王陵的出土品和塔、石雕等為主，古新羅以古墓出土的金屬工藝品和陶器為主，伽耶以古墓出土的金屬工藝品和陶器為主。在高句麗和百濟強調了與中國的文化交流及相互影響關係，在新羅則強調了作為絲綢之路的終點的慶州的國際地位。第六章的統一新羅時代介紹了在形式、樣式上受到中國唐朝影響的寺廟建築、佛教雕刻、寫經變相圖及工藝等。第七章的渤海時代論述了與中國、日本的密切外交關係及佛像、建築工藝等。尤其是八世紀中葉，以完成東亞佛教美學理想造型的佛國寺、石窟庵為例，突出強調了統一新羅人所具有的信仰體系、科學的築造方式，以及將其昇華為傑作的高超的造型技術和審美意識。第八章高麗時代可以看到作為貴族文化產物的青瓷、金屬工藝、華麗精巧的佛畫，以及各種材質的佛像和具有不同時代、不同地域特徵的古塔。第九章的朝鮮時代敘述繪畫與書藝，分為一般繪畫、民畫、佛教繪畫、版畫、書藝，又將因留存作品不多而在前代不能正確了解的一般繪畫分成初期、中期、後期和末期，仔細揭示其時代性的各種特徵。

總之，本書按照時代、領域對韓國美術詳加論說，並在此過程中把被以往韓國美術史著述疏忽或輕視的伽耶和渤海的美術，區分為繪畫、雕刻、工藝、建築，給予同等重視。此外，本書文字通俗易懂，並配有六百二十幅精美彩色照片，因此，即使是非專業人士，也很容易被作品的美麗所迷住，具有極高的鑑賞價值。

《韓國美術的歷史》 金元龍、安輝濬 著

修訂版／時空社／2003／188×257mm／548頁

【目錄】緒論／第一章　先史時代的美術／第二章　高句麗的美術／第三章　百濟的美術／第四章　新羅的美術／第五章　伽耶的美術／第六章　統一新羅的美術／第七章　渤海國的美術／第八章　高麗的美術／第九章　朝鮮的美術／附錄：佛像、菩薩像、石塔、浮屠、石燈、石碑、梵鐘、木造建築的細部名稱

作者簡介

金元龍（Kim Won Yong, 1922-1993）

一九四五年畢業於京城帝國大學史學專業，先後在美國紐約大學研究生院研究美術史，在英國倫敦大學研究生院研究考古學。創設了首爾大學考古人類學科，確立了國內考古學的研究基礎，並把美術史確立為獨立的學科。擔任過國立中央博物館館長、首爾大學博物館館長、首爾大學考古美術史學教授。從一九五八年開始擔任文化財委員會委員以來，完成了國內幾乎所有的遺跡挖掘工作，致力於保護文化遺跡。特別是通過挖掘全谷古跡，確認韓國存在過早期舊石器時代；通過挖掘武陵王墓，重新評估了百濟史，留下了嶄新的學術成果。主要著作有《韓國考古學概論》、《韓國美術史》、《韓國考古學研究》、《韓國美術學研究》等。

安輝濬（Ahn Hwi Jun, 1940-）

先後畢業於首爾大學考古人類學專業、美國哈佛大學研究生院美術史學科，文學碩士、哲學博士。歷任首爾大學博物館館長、韓國大學博物館協會會長、韓國美術史學教育研究會會長、韓國美術史學會會長等。擔任首爾大學考古美術史學科教授期間，開發了「不毛之地」——韓國繪畫史領域，確立了該領域的學術體系。致力於揭示從古代到朝鮮末期的古老繪畫的美和特徵，尤其傾力於揭示不同年代中國、日本和朝鮮半島繪畫交流關係的變化，使其體系化。主要著作還有《韓國繪畫史》、《韓國繪畫史研究》、《從美術史看韓國的現代美術》等。

（梨花女子大學講師、美術史學專家宋憙暻撰　喬禹智譯　白玉陳譯校）

東亞
人文
100
KR-07

金允植

韓國近代文藝批評史研究

本書是一部有關韓國近代文藝批評的歷史及性質的專著。在本書出版之前，韓國文學研究界對於從二十世紀二〇年代初的無產階級文學批評至四〇年代的新體制論都比較陌生，而本書對近代韓國文藝批評進行了完整系統的研究。由於本書系統分析了無產階級文學與民族主義文學的不同立場，以及由此引起的各種爭論的本質，因此在導論性研究這一點上具有特別意義。

本書由三個部分和一個附錄構成。

第一部分「無產階級為中心的文藝批評」，以準確資料為依據全面闡述了以八峰、金基鎮和懷月、朴英姬為首的無產階級文學的形成，馬克思主義文學論、民族主義文學論、海外文學派、轉向論等當代文學各流派以及不同意識形態的文學集團之間極其複雜的爭論、論戰等。

第二部分「轉型期的批評」，在緒論中先論述轉型期的意義、背景、內容和研究方法，然後按照時間順序考察了KAPF（朝鮮無產階級藝術同盟）解體後二十世紀三〇年代中期至四〇年代的各種類型的文藝批評。在論述過程中作者導入了現實主義理論，把社會的變化與文學發展方向相聯繫進行考察。因此，本書對人文主義論、知性論、告發、道德論、藝術主義批評、古典論與東洋文化論、世代論、新體制論等均進行了研究。

第三部分「批評的內容論及形態論」，論述了文藝批評的各種分類及形式。內容論考察了詩論、小說論、文藝學研究等，形態論從多種角度考察了寸鐵批評、書評等，使得韓國當代文學的批評形態體系化、範疇化。

附錄收錄了林和論和批評年譜，除了對林和進行新的學術評價之外，還按照時代順序整理了近代以來韓國主要的文藝批評論著目錄，包括從一九〇七年韓星教的《國文與韓文的關係》、崔南善的《現時代需要的人物》直至一九四五年李光洙的《戰爭與文化》、金龍濟的《文壇告白》等近四十年的論著目錄。

本書是關於韓國近代文藝批評的總論，對當時的文學研究提供了重要的指引，因而得到高度評價。尤其是在無產階級文學的研究中，對社會主義理論及日本無產階級文壇的傾向進行了廣泛而深刻的比較研究，確認並引用了各種精確的資料，給後來開展相關領域研究的學者提供了可資參考的研究範例。

實際上，一九七三年出版的本書和《韓國文學史》樹立了在統一的視角和主體認識下從通史角度考察韓國文學史的研究體系，超越了之前把韓國文學史視為移植模仿的歷史水準。就金允植的全部學術成果而言，這部書屬於初期著作，不僅對作者本人，而且對大部分的韓國文學研究者都樹立了一座劃時代的里程碑。

金允植多達一百多部各具創造性和分量的學術著作，均基於嚴謹的邏輯和科學的批評理論、涵蓋近現代的廣闊視野和敏銳深刻的探索精神，因此金允植被評價為「一百年難遇的批評家、學者」。

《韓國近代文藝批評史研究》　金允植　著

初版／Hanerl文庫／1973

修訂版／一志社／1976

改訂新版／一志社／1999／148×210mm／650頁

【目錄】1.無產階級文學運動為中心的文藝批評／2.無產階級文學的成立／3.論戰——本身存在的問題／4.民族主義文學論／5.海外文學派／6.轉向論／7.轉型期的批評／8.人文主義論／9.知性論／10.Pose、告發、道德論／11.藝術主義批評／12.古典論與東洋文化論／13.世代論／14.新體制論／15.批評的內容論及形態論／16.批評的內容論／17.形態論

作者簡介

金允植（Kim Yoon Sik, 1936-）

樹立韓國近代文學史及文藝批評史根基的國文學者、文化評論家，現任首爾大學名譽教授兼明知大學講座教授。包括文學史、文學理論、作家論、作品論等在內，在文藝批評、藝術論、散文等文學藝術的廣泛領域裡創造了卓越成果，被稱為韓國文壇的巨匠。主要著作有《韓國近代文藝批評史研究》、《韓國現代文學批評史論》、《李箱文學文章研究》、《作為發現的韓國現代文學史》、《韓日近代文學的相關樣式新論》等。曾榮獲韓國文學作家獎、大韓民國文學獎、青馬文學獎等。

（慶熙大學教授、國文專家金鐘會撰　喬禹智譯　白玉陳譯校）

東亞人文
100
KR-08

張師勛

韓國音樂史

作者於一九七六年在學界首次推出了涵蓋古代到現代韓國音樂全史的《韓國音樂史》。在此書問世之前，尚未出現過任何專門的韓國音樂史的專著。此書的推出給韓國音樂界及其他相關領域帶來了非常大的影響。有了此書，韓國各大學的相關學科，方可正式教授朝鮮的音樂史，也促進了韓國音樂歷史的體系化。作為後續的影響之一，一些朝氣蓬勃的年輕學者也出版了韓國音樂全史的專著。

經修訂增補，作者於一九八六年出版《韓國音樂史》增補版。如同作者所說，增補版對原書中比較薄弱的中世紀以前的音樂史進行了很多補充和改善。同時，與舊版的較大區別是，對以前沒有涉及的流傳在古代中國和日本的韓國音樂也給予了較多篇幅。

本書對朝鮮音樂的源流和歷史，與舊版《韓國音樂史》一樣，採取了以王朝為中心的時代區分法加以敘述。同時，在不同歷史時期的恰當章節增補了一些內容，彌補了原書的不足。因此，即使缺乏音樂常識，只要對朝鮮王朝的歷史有所了解，即可讀下去。

按照王朝為中心的時代區分法敘述朝鮮音樂的流傳及歷史，並非沒有理論依據，但是更引人注目的是，作者主張以音樂樣式的變化及流傳為基礎，即以音樂樣式史為基礎敘述韓國音樂的流傳及歷史。當然，以音樂樣式史為基礎區分時代來敘述朝鮮音樂史的其他各類專著曾引起關注也是事實。但是，這種基於音樂樣式史來區分時代的專著，實際內容其實也未能擺脫以王朝為中心的時代區分法，這是因為韓國音樂的屬性與以樣式的流傳及變化為基礎而形成的西洋音樂不同。

作者集多種音樂的學習背景、演奏能力、音樂理論和實際經驗集於一身，並且涉獵了廣泛的古文獻，具有淵博的知識，因而在本書中以實證方法敘述了音樂的流傳及其歷史。他的這種「熱情和努力」體現在本書的方方面面。本書的最大特點之一是能夠一目了然地了解到從三韓時代至二十世紀八〇年代初的「國樂年表」，以及影印的壬辰倭亂之前的《樂學軌範》。尤其是〈國樂年表〉，整理井然有序，從中就能了解韓國音樂史的大概。

如同舊版，作者把朝鮮的音樂分為三個時期給予充分論述，並適當包含了日本殖民時期的音樂，還指出，「朝鮮音樂以十九世紀末為頂點落下大幕」。對二十世紀以後的音樂，尤其是對光復以後直至今天的現代音樂，本書未能深刻加以分析，這是其需要改善之處。但是無論如何，本書是橫貫古今的韓國音樂的流傳及其歷史的最初著作——《韓國音樂史》的完美繼承，也是對其加以完善的力作、大作，這已成為不爭的事實。

《韓國音樂史》　張師勛　著

初版／正音社／1976

增補版／世光音樂出版社／1986／152×225mm／740頁

【目錄】第一章　三國以前的音樂／第二章　三國時代的樂舞／第三章　統一新羅以後的音樂／第四章　高麗時代的音樂／第五章　朝鮮前期的音樂／第六章　朝鮮中期的音樂／第七章　朝鮮末期的音樂／第八章　甲午更張（改革）以後的音樂／第九章　國樂的重建與現狀／國樂年表／附錄　《樂學

作者簡介

張師勛（Jang Sa Hun, 1916-1991）

創造性繼承了韓國傳統音樂的先驅音樂家。一九三六年以第四期生畢業於前身為朝鮮王立音樂機關的李王職雅樂部，畢業後即擔任雅樂手。光復後擔任過美軍軍政廳學務局編修官、公報部廣播局編輯、聯合通訊社編輯、德誠女子大學教授等，自一九六一年以後的二十餘年間一直擔任首爾大學音樂學院教授，從學術角度為韓國國樂體系化立下大功。退休後歷任韓國藝術院會員、韓國國樂學會名譽會長、國樂教育研究會會長等。主要著作有《時調音樂論》、《韓國音樂史》、《國樂概論》、《國樂總論》、《國樂大辭典》等。曾獲得韓國藝術院獎、廣播文化獎以及文化勛章寶冠獎和國民勛章石榴獎。

（韓國學中央研究院教授、韓國音樂學專家申大澈撰　喬禹智譯　白玉陳譯校）

東亞人文100

KR-09

金烈圭

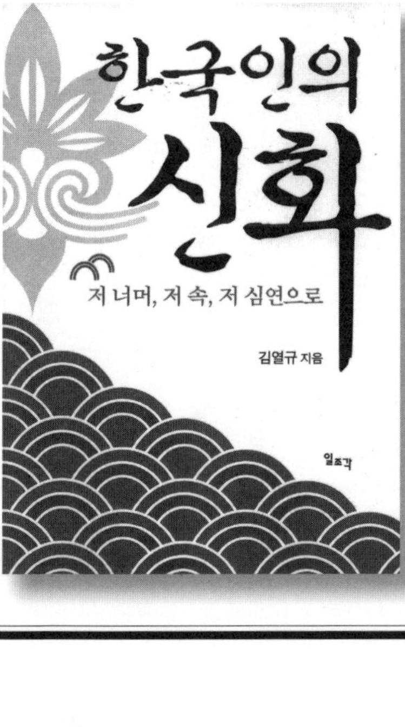

韓國人的神話

那對面，那裡面，那深淵

沒有一個值得稱道的「創造天地的神話」，對每一個韓國人來說確實是一件很遺憾的事情。這比不知道自己的生日的孩子或者不知道亡者的忌日還要祭祀的家族的處境更尷尬，時而也被指責為是降低民族自豪感的原因。但是如同沒有哪條路無始發點一樣，或如同沒有哪種事物沒有根源一樣，宇宙絕對不存在沒有本源的包羅萬象。而在其本源中，「有關太初的故事」——神話肯定會存在。

實際上，韓國人可能沒有「創造天地的神話」，但是擁有無窮無盡的創造性神話。本書把從古代到現代的神話性的事件縱橫羅列展示給我們，但是這些並不全是如同「以雞鳴來告示人們雞林裡誕生金閼智」一樣的帶有神聖意味的故事。全村人聚在一起的沸騰的場所，充滿歌聲、歡呼聲、掌聲、雀躍聲的原野，最後發展為巫女迎神，猶如太初創造天地的瞬間一樣，「遙遠的當時」（in illo tempore）的神話世界一個個被開啟重現。在本書中，這些也都被列為帶有神話性質的事件。

在這些事件中，即使只挑出一根被檀君的影子掠過的「宇宙木」（cosmic tree）——檀樹枝，那也是巫女上天下地的神樹，也就成為村落共同體的本源。這有時也被鄰國神話學界批評，他們認為韓國屬於「次文化圈」，所以韓國人沒有「創造天地的神話」。但是，本書作者的態度堅決、凜然，他確信韓國神話的起始與越過西伯利亞、希臘、印度、北歐等地的通古斯族、蒙古族、西伯利亞地區的民族等文化具有親緣性、親近性、共質性。

不僅如此，本書並沒有深陷於民族神話的爭吵中，而以神話的頓悟來撫慰被死亡的恐怖和生活的痛苦壓抑的讀者。其實，民族的起源有多深遠可以與個人無關，但是作者指出，韓國的神話以救援和再生的原理啟示人們應如何對待生活。儘管人類唯一的宿命就是衰老直至死亡，但是人們仍然對生命充滿期待。

對既無完滿的「臍帶」，也無完整的「墓地」的現代人來說，神話既是家譜也是來歷。但是神話的屬性與博物館收藏的古代遺物完全不同，一旦有適當的契機，神話即可隨時變為當代最新潮的風俗時尚、語言文化的源泉。因此，只要韓國人擁有「韓國人的神話」，即使沒有「創造天地的神話」，也存在「創造天地的神話」重生的載體。況且，那些神話已廣泛散播在韓國的土地上，成為韓國人的生活方式。

《韓國人的神話：那對面，那裡面，那深淵》 金烈圭　著

初版／一潮閣／1976
修訂版／一潮閣／2005／152×225mm／280頁

【目錄】

作者簡介

金烈圭（Kim Yeol Gyu, 1932-）

畢生致力於研究韓國的傳說、神話、巫術，以及「韓國人的原型」的國文學者。畢業於首爾大學國文學專業，在該校研究生院專攻國文學和民俗學。歷任忠南國立大學助理教授、西江大學國文學教授、哈佛大學燕京研究所訪問教授、仁濟大學教授，現任啟明大學韓國文化和資訊學專業客座教授和國學研究院院長。主要著作有《韓國人的和》、《東北亞的巫術以及神話論》、《孤獨的 homodigital》、《韓國神話與巫俗研究》等，其所著《死的象徵，記住死亡》和《韓國人的自傳》，被認為完成了韓國人的死亡論和人生論。

（**韓國海洋大學校教授，國文學、民俗學專家金楨夏撰　喬禹智譯　白玉陳譯校**）

金容雲

金容局

韓國數學史

通過數學之窗看韓國人的思想與文化

數學可能是最具普遍性的學問，但是透視數學的歷史會發現數學的發展過程在不同時代、不同地域具有豐富多彩的形式。《韓國數學史》這個書名，讓人期待可以了解到幾千年來數學在朝鮮半島的變遷過程，但是書的副題「通過數學之窗看韓國人的思想和文化」表明本書的基本意圖並不是對數學內容的專門性說明，而是以數學的特徵和變化為視角來解釋朝鮮半島及周邊國家的思維和生活方式。

從位於中國和日本中間的韓國的地理位置，也可以推測東亞數學史中韓國數學的地位，其中尤其需要關注的是朝鮮數學在中國數學的復興和日本數學的創新過程中的作用。整體上看，朝鮮受到中國的影響，而這一點數學也不例外。不過這並不是無條件模仿，而是雙方貴族和僧侶等算員們有意識的引進，朝鮮取得的與中國有區別的獨創性的數學成果可以證明這一點，而且從朝鮮傳到日本的數學書是奠定日本數學基礎的重要因素。因此，讓一般人了解足以讓人引以為豪的韓國傳統數學，也是本書的目的之一。

本書由十三章組成，以東洋數學及韓國數學的特徵、韓國傳統的數理思想概論開始，以三國時代直到統一新羅、高麗、朝鮮、開化期的數學為中心，描述各時期的數學思想和數學實際變遷過程。在東亞數學流變過程的闡述中，對中、韓、日數學特徵的比較超越了數學本身，拓展為思想和文化之間的比較。以數學為媒介展開的對文化、教育、時代背景的闡述，非常有助於讀者理解韓國數學。其各章主要內容如下：

第一章和第二章描述了韓國數學的背景、特徵和數理思想，第三章描述三國時代由律令政治帶來的以稅收、農田、易術等為出發點的算學制度的形成，以及百濟、高句麗、新羅的算學水準和百濟對日本的影響等，還包含對《九章算術》這一對東亞數學起到工具書作用的著作的詳細說明，以及對形成韓國傳統數學「算學」起到重要作用的唐代算學制度的說明。第四章通過比較統一新羅、唐和日本的算學制度歸納出新羅算學的特徵，也涉及古代數學的另一方面——天文制度。第五章通過與達到當時數學發展最高峰的中國宋、元時代的數學的比較，描述在新羅數學延長線上並未取得大發展的高麗算學的特徵。從第六章到第九章重點介紹朝鮮時代的數學，描述了朝鮮前期由世宗大王主導取得的科學的發展，朝鮮中期壬辰倭亂前後的算學、天文學狀況，朝鮮的文藝復興——實學期數學的發展，朝鮮後期作為韓國數學的新潮流——通過士大夫和僧侶共同研究對古典數學進行近代解釋等內容，並詳細介紹了實學期以後的數學家和數學書的內容。第十章從朝鮮算學書中存在的問題著手，考察朝鮮的數理算學，並說明了導致曆法不科學的朝鮮算學的不足。第十一章是傳統數學的「數」標記方法及計算工具。第十二章是有關韓國和日本的數詞。第十三章描述了開化期現代學校中西洋數學與傳統算學的混亂現象，以及由此全面轉型為歐式學校數學的過程。

本書擺脫了以西洋數學為主的思維觀念，進行了以東亞為背景，在與鄰國的關係中考察韓國數學的有益嘗試。

《韓國數學史：通過數學之窗看韓國人的思想與文化》 金容雲、金容局 著

初版／Sallim Math／1977

增補版／Sallim Math／2009／152×225mm／650頁

【目錄】 緒論／第一章　東亞數學的傳統與韓國數學的特徵／第二章　韓國的傳統數理思想／第三章　三國時代的數學／第四章　統一新羅時代的數學與天文學／第五章　高麗時代的數學／第六章　朝鮮前期的數學與天文學／第七章　朝鮮中期的數學與天文學／第八章　實學期的科學思想與數學／第九章　朝鮮後期的數學與天文學／第十章　朝鮮時代的數理逆算／第十一章　前近代的數的標記與計算器／第十二章　韓國和日本的數詞／第十三章　開化期的數學

作者簡介

金容雲（Kim Yong Woon, 1927-）

韓國數學家的代表性人物，也是韓日文化比較研究的大師。在日本東京出生，經早稻田大學在美國Urban大學院、加拿大Alberta大學院完成碩士和博士課程。之後，在美國威斯康辛州立大學擔任副教授，在日本神戶大學、東京大學、日本國際文化研究中心擔任客座教授，在韓國國內歷任數學史學會會長、漢陽大學數學系教授、漢陽大學大學院院長等。現擔任韓國數學文化研究所所長、檀國大學

講座教授。主要著作有《不規則碎片型與混沌的世界》、《數學大辭典》、《韓國人與日本人》、《日本人與韓國人的意識結構》、《韓日民族的原型》、《韓國數學史》等，尤其是《作為人間學的數學》曾引起國際反響。曾獲得韓國出版文化獎、首爾市文化獎、大韓數學會功勞獎。

金容局（Kim Yong Kuk, 19-）

出生於日本東京。畢業於中央大學經濟系及朝鮮大學數學系，在漢陽大學獲得理學博士學位。歷任京都大學數理解釋研究所客座研究員及木浦大學院教授。主要著作有「趣味數學旅行」叢書、《空間的歷史》、《位相數學入門》、《圖形故事》等。曾獲得韓國出版文化獎、首爾市文華獎、大韓數學會功勞獎。

（晉州教育大學教授張惠媛撰　喬禹智譯　白玉陳譯校）

東亞人文100

KR-11

趙東一

韓國文學通史

趙東一的《韓國文學通史》於一九八二年完成第一版第一卷，到一九八八年完成了共五卷。一九八九年出版了第二版，一九九四年出版了第三版，最後以二〇〇五年的第四版完成了這部韓國文學史的長篇巨著。

本書第四版是韓國文學史的總結篇，補充了一些觀點和內容，確立了韓國文學史、東亞文學史、世界文學史的整體方向，這從第四版的卷首語可以了解到。作者以口碑文學、共同文語文學、民族語文學的總體——韓國文學史為依據，提出要面向世界化、地方化、平等化，而如此說明文學的三個範疇本身就是本書的獨特之處。從另一個角度看，口碑文學、共同文語文學、民族語文學，就是一般文學史中所指的口述文學、漢文學、國文文學。世界化，是在正面闡述共同文語文學的同時，揭示民族文學與文明圈文學、少數民族文學與人類整體文學的觀點。地方化，是以地方文學和濟州文學等例子給予評價，試圖呈現韓國文學多層次的全貌。平等化，從平等的觀點表現上下男女的文學全貌，試圖擺脫以上層、男性為中心的研究文學史的慣常思路。本書明確評價了各文學作品所具有的價值，基於事實縝密考察了作品出現和消退的順序，但並不是單純的作品編年，而是清晰闡述了各作品時間上的先後關係，揭示了文學史與社會歷史的緊密聯繫。

作者認為文學作品從歷史集團的關係中產生，因此作品排列順序並不單純按照時間羅列，而區分成一定模組。其結果，僅按照古代、中世、近代簡單的三分法難以說明韓國文學史的實像，而採取了更為動態的時代區分法，即原始、古代、古代到中世的過渡期、中世前期、中世後期、中世到近代的過渡期、近代，這樣一種文學史時代區分法。這種區分法是作者總括韓國文學、東亞文學及世界文學的歷史凝縮而成，因此它不僅具有單純的、單方面的意義，而且確立了從一維到多維、從平面到立體的文學史研究的新的理論和方法。

這部著作對韓國文學史的研究具有兩方面的意義。第一，它標榜文學史的歷史哲學，而不是單純羅列作品。作品用生動的事實，論述了文學史也蘊含思想創造的結晶，並以此高揚時代精神，具有可在思想史中占據一席之地的可能性。作者提出的「思想史的創造與參與社會發展的階層有關，這與文學史的時代區分深刻關聯」的觀點，對歷史哲學在其他科學中的普遍應用具有重大意義。因此，這部文學史與社會史、思想史等融合為一體，並非單純的「知識型」著作，而是包括時代精神和思想史內容的內涵豐富且深刻的作品。第二，這部著作與年鑑學派的時代區分相對照，指出重點強調西歐中世文明的年鑑學派的觀點具有片面性和傾向性。針對此，本書以古代到中世的過渡期、中世前期、中世後期、中世到近代的過渡期來區分時代，指出這是世界史的普遍現象。

《韓國文學通史》（全六卷）　趙東一　著

初版／知識產業社／1982-1988

修訂版／知識產業社／2005／188×257mm／第1卷・406頁／第2卷・516頁／第3卷・628頁／第4卷・472頁／第5卷・600頁／第6卷（索引）・192頁

【目錄】第1卷／1.文學史理解的新觀點／2.原始文學／3.古代文學／4.古代到中世的過渡期文學／5.中世前期文學：第一期　三國、南北國時代／6.中世前期文學：第二期　高麗前期／第2卷／7.中世後期文學：第一期　高句麗後期／8.中世後期文學：第二期　朝鮮前期／第3卷／9.中世到近代的過渡期文學：第一期　朝鮮後期／第4卷／10.中世到近代的過渡期文學：第二期　一八六〇－一九一八年／第5卷／11.近代文學：第一期　一九一九－一九四四年

作者簡介

趙東一（Cho Dong Il, 1939-）

畢業於首爾大學國文學專業，並獲得文學博士學位。歷任啟明大學、嶺南大學、韓國精神文化研究院教授，現任首爾大學、啟明大學講座教授。探索韓國文學自主的研究方法論以克服引用西方文學理論帶來的局限，將包括口述文學在內的敘事文學加以體系化。近年來，關注世界文學特別是第三世界文化圈內的國文學和比較文學。主要著作有《敘事民謠研究》、《我們的學問之路》、《小說的社會史比較論》、《東亞地區口傳敘事詩的模式與變遷》、《韓國小說的理論》、《韓國文學與世界文學》、《東亞文學史比較論》等。曾獲得韓國出版文化獎、中央文化大獎、萬海學術獎、大韓民國學術院獎等。

（京畿大學教授、國文學專家金憲宣撰　喬禹智譯　白玉陳譯校）

東亞人文100

KR-12

吉熙星

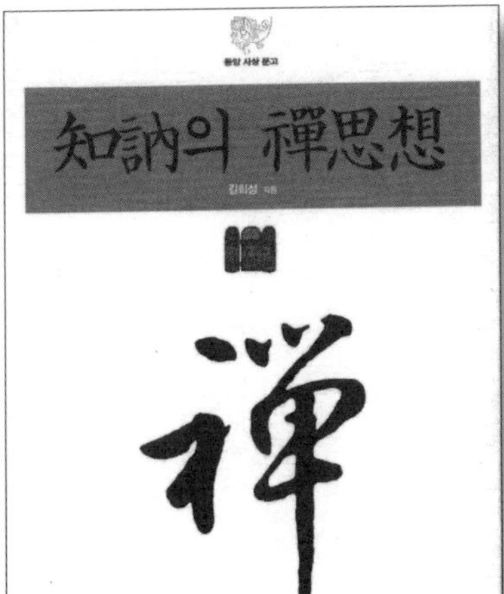

知訥的禪思想

本書是研究知訥（一一五八—一二一〇）的生平和思想的作品，知訥與新羅時代的元曉（六一七—六八六）、朝鮮時代的西山（一五二〇—一六〇四）一同屬於代表韓國佛教的僧侶。在這三位僧侶中，知訥大師特別重要的原因是當今占據韓國佛教中心地位的漕溪宗，其傳統就是起源於他。儘管西山大師堪稱更加直接促成現代韓國佛教傳統脈絡的人物，但其思想框架卻是知訥早已構築好的。本書在簡明扼要地梳理韓國佛教發展脈絡的同時，闡述了知訥在東亞佛教中的地位，也讓人深思韓國佛教對當今地球村時代的知識分子所具有的意義。

首先，吉熙星以禪宗與教宗的對立為中心描述了知訥所處的高麗時代佛教的脈絡。高麗時代佛教的中心課題，是如何解決從新羅末期傳入到知訥所處的時代已經崛起成為新的中心的禪宗，與已失去既得地位但仍然維持傳統權威的教宗之間的矛盾。知訥所處的時代由於頻繁的武臣之亂而處於混亂狀態，這些混亂和矛盾給當時佛教界的有識之士提供了磨練心智的契機。當時知訥所面臨的這些問題並非僅僅是佛教在高麗時代所面臨的問題，對當今由於交通、通訊的發達所帶來的漕溪宗與南方佛教以及與其他宗教傳統之間的新的交流，以及地球村時代所面臨的各種新的危機，包括漕溪宗在內的禪佛教能給社會帶來什麼樣的作用具有重要的啟示，因此也成為當今有識之士所關心的重點問題。

吉熙星指出，知訥即是徹底的修行僧，也是具有高度學問素養的學僧，闡釋了與時而困惑當今知識分子的禪佛教的「不立文字」不同的知訥的禪思想所具有的合理性，進而說明了知訥思想對關心禪佛教的知識分子的經久不衰之魅力。

吉熙星指出，「知訥一方面積極接受中國唐代宗密（七八〇—八四〇）的思想，又與宗密不同，也積極接受看話禪傳統，對於看話禪傳統成為韓國主流，知訥起到主要作用，因而具有特殊的貢獻。」即從現在的角度來看，宗密的「禪教一致論」沒能考慮看話禪，因而有所缺憾，而知訥的「禪教一致論」卻是在充分體驗和掌握看話禪的魅力和優點之後形成的理論，因而更加具有意義。知訥並非簡單提出禪教一致，而是在把禪可能陷入的不合理性的陷阱通過「教」加以完善的同時，明確確立了禪體驗的獨特性和優越性，因而奠定了韓國佛教「舍教入禪」、「禪主教從」的傳統。

吉熙星遵循此脈絡一目了然地把知訥的思想分為心性論、頓悟論、漸修論、看話論。禪修行時心性論起到如同旅行時的地圖的作用，而頓悟論、漸修論、看話論可以理解為旅行途中積累的各種經驗，以及這些經驗對旅行的指導。通過「先闡釋我們的心理的結構，再系統論述在此種結構中，頓悟，通過何種過程才能形成」，吉熙星在闡釋知訥的學識、理性、邏輯性的同時，使我們能夠相對較容易地接近知訥的禪世界。

《知訥的禪思想》 吉熙星 著

初版／松樹出版社／1984

修訂版／松樹出版社／2001／148×210mm／266頁

作者簡介

吉熙星（Keel Hee Sung, 1943-）

韓國比較宗教學的權威。在首爾大學研究哲學，在耶魯大學研究神學，在哈佛大學研究比較宗教學。曾任教於首爾大學哲學系，一九八四至二〇〇四年任西江大學宗教學系教授，現為西江大學名譽教授。被評價為既是基督徒又精通印度思想和佛教思想的學者，一直思考宗教衝突與宗教之間的溝通問題。其他主要著作有《印度哲學史》、《後現代社會與開放宗教》、《宗教與環境》、《禪佛教與基督教》、《今天回顧東洋思想》等。最近出版了探索耶穌基督教與佛教菩薩的《菩薩耶穌》。

（金剛大學教授、宗教學專家柳濟東撰　喬禹智譯　白玉陳譯）

李泰鎮

韓國社會史研究

農業技術的發達與社會變動

本書將作者的相關論文按照清晰的研究視角彙集而成。作者自二十世紀七〇年代初以來一直從事朝鮮朝儒教社會活力方面的研究，同時把農業技術的發達對社會發展的影響作為一個變數加以研究。

本書除了有關朝鮮時代的論文、新羅村落文書的論文以及有關統一新羅的村落的論文，還有分析開心寺石塔記、闡釋香徒的組成和性質的論文等，因此本書的副題非常貼切地體現了書中的內容。本書還收錄了反映十六世紀東亞全貌的文章，以及介紹乾耕直播、水車普及的文章。二〇〇八年出版的增補版增加了兩篇論文，一篇是論證十七世紀和十八世紀香徒的分化以及互助組（一種自發形成的農業互助社）產生的論文，另一篇是有關朝鮮後期兩班貴族社會的變化的文章。

本書是作者長期以來考察朝鮮朝儒教社會之活力的研究成果的集大成。在只強調儒教給朝鮮朝社會帶來的副作用的二十世紀七〇年代初，作者已經關注到十六世紀留鄉所復立運動，整理了性理學在朝鮮社會生根落地時期的社會背景。作者將朝鮮初期儒教社會的特徵視為性理學重組社會秩序的研究視角，一直延伸到研究川防灌溉和士林勢力的經濟背景，還研究了沿海地區堰田開發與戚臣勢力的關係。通過這些研究清晰勾勒出了朝鮮初期政治勢力的經濟背景。又通過闡述士林派的鄉約普及運動，揭示了朝鮮初期具有性理學特徵的鄉村社會秩序特徵。

這些研究不僅關注了性理學的哲學特徵，也關注了社會運行理念。即與理氣哲學相比較而言，把十六世紀朝鮮社會中性理學的貢獻和地位，從「社會秩序的重組」角度加以考察。

本書的另一特色是提出了把農業和農業技術的發展作為推動社會發展的重要變數，這種研究視角一直反映在作者的相關研究中，本書有關休閒農法下的社會構成、集約農業技術的實現與社會變動等論文，都充分體現了作者的研究視角，說明了高麗時代的水稻栽培是休閒農法，而在高麗末期克服了休閒農法，發展成為朝鮮初期的連作法。作者關於高麗後期農業技術發展的觀點給予以後的諸多研究帶來影響，尤其是作者所強調的休閒農法轉為連作農法的重要性，給眾多韓國史研究學者帶來啟迪。至此，對韓國史研究者來說，農業技術的發展與社會發展的緊密關係已經是一個理所當然的考察視角。

由於本書具有韓國史研究上的劃時代意義，理應成為韓國史研究者的必讀書。它給韓國史研究者分明地、清晰地展現了朝鮮社會的各種景象。韓國史研究者可以從本書中得到拓展自己研究視野的很多啟示。作者作為韓國史研究對象提出的農法的社會性質、鄉村秩序的性理學特徵等問題已經廣泛影響眾多研究者。

《韓國社會史研究：農業技術的發達與社會變動》李泰鎮　著

初版／知識產業社／1986
增補版／知識產業社／2008／148×210mm／595頁

作者簡介

李泰鎮（Yi Tae Jin, 1943-）

傾力於矯正被日本殖民歷史觀所歪曲的韓國歷史的國史學界巨擘。畢業於首爾大學歷史學系，獲得碩士學位後在韓國學中央研究院獲得名譽文學博士學位。經慶北大學史學系在首爾大學國史學系擔任教授三十二年。歷任歷史學會會長、韓國學生團體聯合會會長、首爾大學人文學院院長，現為大韓民國學術院會員。在擔任首爾大學奎章閣圖書管理室室長期間，揭露了法國人偷盜外奎章閣圖書的始末，引導了外奎章閣圖書返還運動；把《乙巳條約》、《併合條約》等所謂「國權侵奪」條約是非法締結的主張公論化，引起韓日學界的熱議。主要著作有《朝鮮後期的政治與軍營制變遷》、《高宗時代的再剖析》、《韓國社會史研究》、《講給東京大學學生的韓國史：明治日本的韓國侵略書》等。曾獲得痴庵學術獎、月峰著作獎、白象著作獎等。

（翰林大學教授、社會學家廉定燮撰　喬禹智譯　白玉陳譯）

東亞人文 100

KR-14

尹絲淳

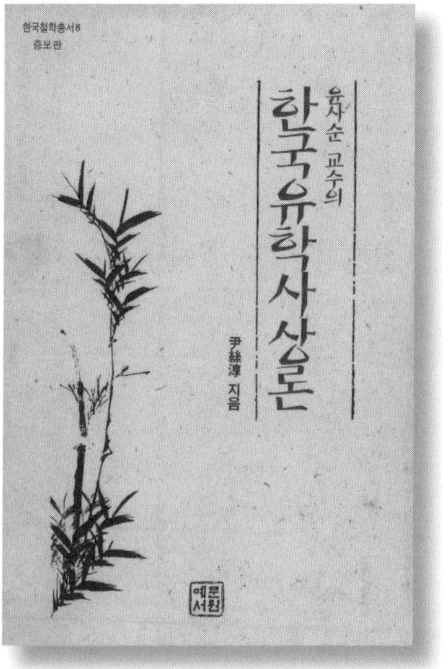

韓國儒學思想論

本書由十二篇重點論述韓國性理學發展過程中具有爭議的各種主題的論文組成，同時包括了研究從高麗末期接受性理學開始直到近代儒學的各種變化的內容，是一部儒學思想史。當然，本書並不僅限於論述儒學、性理學的相關人物及其意義，還闡釋了韓國性理學的精神世界和理論體系。作為光復後韓國第一代哲學家的代表，作者通過此書還原了被日本的朝鮮儒學研究歪曲了的韓國哲學的實像，把韓國傳統思想研究提升到哲學境界。

本書收錄的論文按照研究對象的時間順序進行排列，其篇目如下：〈性理學的導入〉、〈鄭道傳性理學的特性及其評價〉、〈士林派的儒生精神〉、〈朝鮮朝禮思想研究——以與性理學的關聯為中心〉、〈有關存在和當為的退溪的一致觀〉、〈退溪的性善觀——以他的四七說為中心〉、〈有關人性物性的同異論辯研究〉、〈茶山的人間觀——脫性理學觀點為視角〉、〈朝鮮末期儒學研究——以性理學和實學的區分為中心〉、〈朝鮮末期主理派的現實實踐觀〉、〈近代儒學的歷史變遷過程〉、〈丹齋的儒教觀〉。

一九九七年的增補版追加了八篇論文，全書由韓國性理學的發端、韓國性理學的精神世界、韓國性理學的理論體系、脫性理學的實學、近代儒學五部分組成。

本書試圖通過探討性理學在韓國人的獨立思考下如何發展變化，來找出韓國儒學發展的特殊性。通過重點考察性理學的輸入及當地語系化、性理學的官學化、性理學的精神土壤、性理學的人間觀和自然觀、性理學與禮崇尚的關聯性、心性為主的研究、道德發展與實踐的問題、道德本性論與對惡的理解、人性物性同異論，揭示了朝鮮性理學與中國儒學的發展方向不同，在心性研究方面深入發展的事實。

其中，所收入的〈有關存在和當為的退溪的一致觀〉一文，一九八一年在義大利國際學術會議上受到高度評價，認為它「作為綜合先驗倫理說和經驗倫理說的嘗試，給國際哲學界提出了新的研究視角」。

《韓國儒學思想論》 尹絲淳 著

初版／熱音社／1986

增補版／禮文書院／1997／152×225mm／528頁

【目錄】 序文／1. 韓國性理學的發端／2. 韓國性理學的精神世界／3. 韓國性理學的理論體系／4. 脫性理學的實學／5. 近代儒學

作者簡介

尹絲淳（Yoon Sa Soon, 1936-）

韓國哲學的第一代元老學者。將韓國傳統思想研究提升到「哲學」的水平推介至世界哲學界。是中國新儒學即性理學的韓國權威，也是退溪哲學的權威。畢業於高麗大學哲學系，並在該校獲得博士學位。歷任高麗大學哲學系教授、早稻田大學研究教授、韓國孔子學會會長、韓國東洋哲學會會長、韓國哲學會會長、國際儒教聯合會副會長等。現擔任高麗大學名譽教授、中國社科院名譽教授、曲阜師範大學終身客座教授等。主要著作有《退溪哲學研究》、《東洋思想與韓國思想》、《新實學思想論》、《韓國儒學論究》、《韓國的性理學與實學》等。曾獲得退溪學國際學術獎、朱子學學術獎、栗穀大獎功勞獎等。

（高麗大學教授、韓文學專家沈慶昊撰　喬禹智譯　白玉陳譯校）

崔章集

韓國的勞動運動與國家

二十世紀八〇年代中期，即使在軍事獨裁的壓制和統治下，對民主化的熱切盼望還是在韓國社會的方方面面被點燃起來。在抵抗軍事政權統治的學生運動、市民運動等社會運動達到巔峰的時期，一九八七年夏天勞動運動的爆發起到了一舉摧毀權威主義政權和資本家壟斷的社會統治基礎的作用。一九八七年以後，勞動運動成為韓國社會抵抗國家和資本家的有組織的社會勢力，為之後出現的韓國進步主義運動提供了社會基礎。在進步的社會科學陣營裡，很多學者積極開展了如何理解這些戲劇性的社會過程的理論及相關對策研究，但是缺乏理解社會結構及社會基礎的新的理論框架。基於馬克思主義理論的社會分析，雖然有其先進性，但是就分析理解具體現實而言過於抽象，難以成為現實的理論依據。

一九八八年出版的《韓國的勞動運動與國家》，作為第一部解析「如何理解『韓國的勞動運動經歷什麼樣的過程成為社會的核心主體』的核心命題」的名著，深刻而廣泛地影響了之後韓國社會新的分析框架的形成。這本書以「國家組合主義」的概念分析二十世紀七〇年代開始的國家的統治與勞動運動的抵抗之間的複雜的互動關係，而其最大價值，在於以勞動運動這一新的社會主體形成過程中與國家之間的關係，成功地分析出了在韓國社會，國家作為社會範疇如何對社會伸出既深又強的統治之手。

這部書的真正價值一定要從超越對國家的學術研究的範圍去尋找。如果這部書僅僅局限在韓國社會中國家的問題，它就只不過是一本與當時流行的眾多國家論和階級論的著述沒有多少差別的分析著作而已。這部書的價值是提供了很多有關「在權威主義國家的統治和干涉下進行抵抗的新的社會基礎以何種方式形成」的學術線索和想像力的源泉。有關「工廠及全國組織層面的勞動組合的自主性、民主性等新的社會價值，越過國家的統治在被壓制的社會集團內部形成的過程」的闡述，為韓國社會提供了催化劑，促使以新的視角探究社會科學的研究活躍起來。

本書把一九七〇年以後以製造業為中心成為強大的社會勢力的工人階層，理解為活生生的社會勢力的成長過程，而非單純的統計數字。這種視角引發了韓國社會有關「階級形成」的積極研究，使韓國的勞動運動成為受到國際社會關注的社會現象。

本書還為解析在與韓國社會類似的、國家影響力強的東亞其他國家中，國家與勞動、國家與資本、國家與市民社會等各個領域裡存在的各種社會力量的本質提供了指引。本書的影響力為「國家與市民社會」這一新課題的研究做出貢獻的原因在於本書所涵蓋的很多新的想像和概念。這些努力不僅使韓國進步的社會科學研究水準更上一層樓，而且作為權威主義國家發展的現實解決方案，促成了扎根於市民社會和民主價值的新的政治勢力和知識共同體的傳統，給人們指出了社會發展的另一條路。

《韓國的勞動運動與國家》 崔章集 著

初版／熱音社／1989

修訂版／Nanam出版社／1997／152×225mm／526頁

作者簡介

崔章集（Choi Jang Jo, 1943-）

具有代表性的韓國進步政治學者。畢業於高麗大學政治外交系和大學院，在美國芝加哥大學獲得政治學博士學位。歷任美國華盛頓大學、加州大學柏克萊分校、康奈爾大學客座教授，日本亞洲經濟研究所客座研究員、高麗大學亞洲問題研究所所長、總統諮詢政策策畫委員會委員長，現任高麗大學名譽教授。在政治學領域研究貢獻卓越，對韓國所處的政治現實持續提出重要論斷。主要著作有《韓國資本主義與國家》、《韓國民主主義理論》、《韓國民主主義的條件與展望》、《韓國的勞動運動與國家》、《民主化以後的民主主義》、《有些民主主義人》等。

（翰林大學教授、社會學家朴濬植撰　喬禹智譯　白玉陳譯校）

東亞人文100

KR-16

安炳茂

加利利的耶穌

耶穌的民眾運動

本書作者是韓國民眾神學的創始人之一，他用具有說服力的語言勾勒出了民眾神學的遠景。他認定歷史現實中被壓迫、被剝削、被邊緣化的民眾是歷史形成和現實變革的主體，認為民眾作為歷史主體可以創造世界。

安炳茂在二十世紀六〇年代以來以基督徒為人權、民主和民眾生存權抵抗朴正熙軍事獨裁的鬥爭現場，經歷了上帝與民眾在一起鬥爭的事件，並在省察其過程中探索了新的神學語言。他認為忽視事件本身，僅僅執著於對事件的特殊解釋的西歐神學觀點和方法，難以證實在民眾事件中實實在在存在的耶穌基督。他提出通過已發生的民眾事件可證實讓耶穌的苦難、死亡和復活得到再現的神學為「事件的神學」，引起了「神學方法的革命性轉變」。他以最簡單明確的語言揭示出當今民眾運動的神學依據。

安炳茂通過研究歷史上的耶穌，指出耶穌事件中的耶穌與民眾並無主、客之分。從這種觀念出發，他把民眾視為主體，這讓他具備了以嶄新的視角解釋聖書的敏銳眼光。「太初有事件而不是宗教福音，這事件當然就是耶穌事件」，安炳茂的雄辯表明在民眾運動的中心地帶重新解讀聖書的時機已經成熟。他注意到耶穌事件的民眾傳承並不是宗教福音的佈道而是故事，揭示出了福音書裡還有與宗教宣言傳承一定有區別的另一種傳承軌道。他堅信通過民眾故事的傳承可以開啟揭示出被政治、歷史掩蓋的耶穌事件真相的道路。為了破解耶穌事件的真相，除了對歷史事件的社會學分析之外，他還試圖重新構築事件的社會史脈絡，進而他可以從橫向、縱向的歷史座標中理解事件的脈絡及其真相。

他仔細分析了耶穌事件產生的巴勒斯坦社會的政治、經濟、意識形態等各方面的情況，揭示出天國思想與起源於古代以色列的耶和華直接統治的思想一脈相通，突出了耶穌事件的歷史性。

從這種突破性的觀點出發探究歷史裡的耶穌的書就是安炳茂的畢生大作——《加利利的耶穌：耶穌的民眾運動》。在這部書中他超越了西方神學所聲稱的無法知道天國內容的不可知論，堅信通過耶穌事件之窗可以走向了解天國真相之路。

儘管不能一一說明安炳茂對構成耶穌民眾運動的核心的天國所進行的各種全面銳利的分析，但是從對安炳茂有關天國比喻的考察可以看出，他是一位擁有大膽的神學想像力的神學家。他只談到耶穌是對天國的比喻，而對天國本身沒有隻言片語，原因是他認為「對天國沒有必要重新定義」。確定此前提後，他認為「耶穌引用的就是當時開展天國運動的人們所想的」。就在此處，通過耶穌的民眾運動這扇窗戶，出現了認識耶穌所宣稱的天國的真相的可能性。加利利的民眾在羅馬帝國和聖殿體制的壓制和掠奪下，在被律法視為「罪人」、受到歧視和排斥的現實中，期待天國的到來。對他們來說，天國就是沒有支配和掠奪，沒有歧視和排斥的共同體。

安炳茂反對按照純粹的宗教固有觀念，將撒旦理解為橫插在上帝與民眾之間妨礙上帝統治的存在，而建議將其理解為「主權化的意識形態」或「社會結構的不合理」，其並非「制度的某一部分而是將制度絕對化的基礎」。正因如此，安炳茂主張，為了對抗根本力量，需要超越「社會改革」，追求「徹底的革命」。通過這種革命，民眾所追求的是沒有支配的世界、沒有權力和物質被壟斷的「公的世界」。

《加利利的耶穌：耶穌的民眾運動》　安炳茂　著

韓國神學研究所／1990／152×225mm／300頁

【目錄】

作者簡介

安炳茂（Ahn Byung Mu, 1922-1996）

具有代表性的韓國民眾神學家。在日本大正大學和早稻田大學留學，在首爾大學社會學系學習神學，在德國海德堡大學獲得神學博士學位。在對基督教信仰的進步起到中樞作用的韓國神學大學和韓國神學研究所教書。通過反獨裁民主化運動和平教會運動等基督教活動開拓了民眾神學。主要著作有《歷史與證言》、《解放者耶穌》、《歷史裡的耶穌》、《民眾神學故事》、《加利利的耶穌》、《歷史與解釋》等；這些著作是二十世紀七〇至八〇年代民眾神學的必讀書。

（韓信大學教授、神學專家姜元敦撰　喬禹智譯　白玉陳譯校）

東亞人文100

KR-17

朴明林

韓國戰爭的爆發與起源

《韓國戰爭的爆發與起源》是涉獵龐大的歷史資料解析一九五〇年韓國戰爭的起源與爆發過程的書。本書是以書寫三部有關韓國戰爭的爆發、展開過程及影響為自己使命的作者——朴明林的第一部著作。他的第二部著作已經以《韓國一九五〇：戰爭與和平》（Nanam出版社，二〇〇二）為名出版。韓國戰爭是不僅對朝鮮半島，對東亞乃至全世界產生巨大影響的冷戰時期最大的戰爭。作者之所以獻身於朝鮮戰爭的研究是因為通過挖掘這一重大事件，不僅解析出冷戰時期韓國現代史，還解析了世界現代史的性質，進而對戰爭不斷的現代文明的本質提出根本性的質詢。

朴明林認為朝鮮戰爭源於一九四五年八月的解放及美國、蘇聯的分割占領，分裂只是造成了爆發戰爭的初期條件。戰爭的直接原因在於作者稱之為「四八年秩序」，即一九四八至一九五〇年之間的南北韓國家體制和體制之間的「對雙關係動學」、以及北朝鮮激進軍事主義的形成。

一九四八年南北韓各自成立了大韓民國和朝鮮民主主義人民共和國，形成了分裂局面。兩個國家的建立均經歷了由美國、蘇聯的外部力量干預的過程。美國設定了具有反共性質、美國式的自由民主主義、能夠制度化的「美國的範疇」，要求在美國的範疇內設立、營運大韓民國；蘇聯則是直接下達指令，通過「半征服半革命」的朝鮮革命，建立朝鮮民主主義人民共和國。不過，這些分裂的外生因素經過徹底的內化過程，終究導致了南北韓的對立。

不穩定的「四八年秩序」過程中，韓國政府的「北進統一論」與朝鮮政府的「國土完整論」不斷發生衝突。金日成一直努力使史達林同意發動戰爭，終於在國共內戰後的一九五〇年初，由史達林——毛澤東——金日成——朴憲永形成的「東亞共產主義三角同盟」決定發動戰爭。

作者通過細緻分析六月二十三至二十五日三天的狀況，得出「北侵說」和「戰爭誘導說」是錯誤的結論，否定了金日成－朴憲永之間的衝突觸發戰爭的解釋，還解析出「朝鮮人民軍總司令兼國防部部長——崔永健積極反對朝鮮戰爭」的意外事實。以上是通過涉獵、分析、比較大量的美國、南北韓、蘇聯等國家的第一手資料得出的結論。

作者並不局限於論述戰爭的起源和爆發，還拋出了「這次戰爭的性質到底是什麼」的質詢。他說明了此戰爭即是內戰的同時又必然成為國際戰爭的條件，還指出不能把朝鮮戰爭視為民族解放戰爭或革命內戰。以農民、民族主義、民主主義等三個標準比較南北韓時，很難認為朝鮮處於優勢地位，已經成為國家以後爆發的戰爭不是內戰而是侵略戰爭。在此，作者提出發動戰爭的倫理責任問題。

作者從去冷戰的研究視角綜合均衡解釋了韓國戰爭，克服了韓國戰爭研究中一直持續的傳統主義和修正主義的對立、反共主義和與之相反觀點的對立。尤其引人注目的是，成功地綜合運用了結構與行為、理論與實證、國際與國內、人文考察與社會科學分析。韓國戰爭對朝鮮半島乃至東亞帶來了巨大的影響。因此，對朝鮮戰爭的批判性考察對朝鮮半島和東亞展望和平共存的未來是不可遺漏的重要工作。

《韓國戰爭的爆發與起源》（全二卷）　**朴明林　著**

Nanam出版社／1996／152×225mm／第1卷・515頁／第2卷・956頁

【目錄】序言／第一章　緒論／第一部　決定戰爭／第二章　分斷與國土完整論的登場／第三章　最終決定／第二部　決定戰爭／第四章　史達林／第五章　毛澤東／第六章　祕密之淵1／第七章　祕密之淵2／第三部　戰爭爆發／第八章　向戰爭過渡／第九章　攻擊命令／第十章　最後的措施

作者簡介

朴明林（Park Myung Lim, 1963-）

政治學者。畢業於高麗大學政治外交系，在該校大學院通過以「韓國戰爭的爆發與起源」為主題的論文獲得博士學位。歷任高麗大學亞洲問題研究所研究教授、哈佛燕京研究所研究員，現任延世大學國際學大學院教授。從對韓國戰爭的研究開始，為構築韓國民主主義與朝鮮半島和平共處的理想模式而提出了學術解決方案。為民主主義與和平，策畫參與了憲法改革運動、與朝鮮的學術交流等具體實踐活動。所著《韓國一九五〇：戰爭與和平》、《韓國戰爭的爆發與起源》等著作被評價為韓國戰爭研究的重要成果，也被選為國外大學的教材。

（延世大學教授、歷史學家金聖甫撰　喬禹智譯　白玉陳譯校）

東亞
人文
100

KR-18

柳東植

風流道與韓國的宗教思想

作為神學家，本書作者長期以來的研究目標就是現存的韓國傳統宗教與代表新宗教思想的基督教的結合及融合。作者認為這些研究符合神學為之服務的宣教目標。這些觀點在本書內容中表現得非常明顯。基督教作為新的外來宗教需要當地語系化的命題也是為了宣教，不過超過一百年歷史的韓國新教，它的當地語系化仍然是需要更加深入探究的一個重大課題。

從宗教學的視角來看，本書儘管形式上與當今西歐宗教學面臨的宗教多元主義相符，但嚴格來說，本書融合了更為客觀的宗教學和更具宗派性、主觀性的神學。如果說西歐大學的世界宗教科目裡敘述其他宗教的宗教學者或神學家在努力維持多種宗教的平等與均衡，那麼本書在始終堅持神學視角方面與其存有一定的差異。因此，本書可以幫助讀者了解主要針對基督教徒而活躍在韓國歷史和社會中的其他宗教，也可以成為擴大基督徒階層的指南讀物。在至今排斥其他宗教的保守信仰仍然占據主流的韓國基督教界，本書可以說起到了火車頭的作用。無法想像作者曾在某教派的神學學校工作過，因為這可能會引起正統與異端的爭論。本書在韓國神學界主要繼承了作者所屬的監理教（崔炳憲、尹成範、卞善煥為傳承）傳統，也延續了綿延不斷流傳下來的包容主義與宗教多元主義等精神，因此可以說是繼承上述思想而凝聚成的果實。這些神學家都試圖樹立以儒教、佛教或巫教為媒介的宗教神學。

作者把民族固有的巫教中產生的風流道設定為連接韓國傳統宗教思想與基督教神學的媒介。「風流」在一般意義上指的是在大自然中追求藝術趣味、詩意等的浪漫行為，但在此是屬於宗教、哲學範疇的概念。「風流」一詞在語源上被看做是吏讀式發音，但作者認為其意可追溯到古代韓國語的「buru」，其意思相當於「上帝」即（人格）神。由此匯出基督教中的「上帝」的觀點早已與民族固有的「神」的觀點不謀而合，並以此為依據推出風流神學。

作者把韓國宗教史分為巫教（薩滿教，古朝鮮時期，西元前二三三三—西元一世紀）、佛教（三國時代和高麗時代，一世紀—十四世紀）、儒教（高麗和李朝，十四世紀—十九世紀）、基督教（現代）所支配的時代。認為在被外來宗教所支配的歷史時期，從巫教發源的風流道一直流貫在其基底。不過，就算在國家理念層面勉強說的過去，民眾信仰卻是更複雜的結構，在個人的深層心理中，民族所信奉的宗教就像遺傳基因一樣沉澱在其中。因此，韓國有些學者主張是加宗教（加宗，addversion）而不是改宗教（改宗，conversion）更加適合於韓國人。

本書的特點之一是清晰地整理了為基督教當地語系化和韓國神學做出貢獻的人物的生平和思想。其另一個特點是，本書儘管不如作者對基督教的論述一樣包含了適量的、正確的最新資訊，但是也包含了對其他宗教的基本思想和歷史背景的解說，給讀者提供了所需的有關各種宗教的基本知識。

本書的價值在於，它是一部以傳統宗教尤其是起源於韓國人的原宗教（ur-religion）——巫教的風流道為框架，對直至二十世紀末韓國神學的發展進行綜合的資料集及理論書，也是啟示了未來可能的發展方向的指導書，可以成為預測二十一世紀韓國神學發展路徑的尺規。

《風流道與韓國的宗教思想》　柳東植　著

延世大學出版部／1997／148×210mm／376頁

作者簡介

柳東植（Yoo Dong Sik, 1922-）

神學家，是致力於基督教韓國當地語系化研究的先驅。一九二二年誕生於黃海道南川。畢業於監理教神學大學，在美國波士頓大學獲得神學碩士學位，在日本東京大學獲得文學博士學位。歷任監理教神學大學和延世大學神學系教授。二十世紀六〇年代發表的〈福音的當地語系化與宣教課題〉，觸發了基督教當地語系化論爭。七〇年代首次嘗試對本土宗教——巫教進行神學解釋，並於八〇年代展開了對韓國傳統儒、佛、道與現代基督教嫁接的「風流神學」研究。主要著作有《韓國宗教與基督教》、《民俗宗教與韓國文化》、《風流道與韓國的宗教思想》、《走向風流神學的旅途》等。曾獲得韓國出版文化獎。

（仁荷大學名譽教授、宗教哲學專家金榮鎬撰　喬禹智譯　白玉陳譯校）

東亞人文100

KR-19

白樂晴

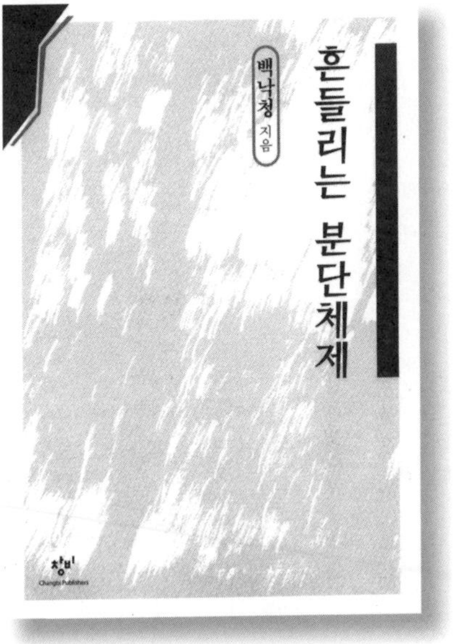

動搖的分斷體制

早在二十世紀七〇年代初，作者就開始深切關注朝鮮半島的分裂現實，於二十世紀八〇年代中期提出了「分斷體制論」，更加全面系統地解析了朝鮮半島的分裂現狀。其主要觀點是：在南北分裂的朝鮮半島，用「分斷體制」一詞可說明的現實問題儼然存在並起著作用，因此南北朝鮮應該在充分了解「分斷體制」特點的情況下，採用相應的智慧的方式取得統一。

作者認為朝鮮半島的分裂帶有「制度」性質，其根據在於，朝鮮半島的分裂受到世界局勢的複合影響，這已經固定下來成為不可改變的現實，而這種觀念又扎根於南北人民的日常生活中，具備了自我再生產的能力。分斷體制作為作用於整個朝鮮半島的複合體制並不是自我完結的產物，而是現有的世界體制力量作用於朝鮮半島而產生的現象，這也意味著現有世界體制的階級衝突、性別歧視、種族主義、環境破壞等種種問題以分斷體制為媒介進一步深刻制約著朝鮮半島南北社會。

在此之前有關朝鮮半島分裂的研究主要是以南北兩個國家乃至意識形態的對立為主，而分斷體制論明顯與之不同，它在承認這些對立的同時，把南北朝鮮的整體體制與南北朝鮮民眾的對立視為更根本的矛盾。它提出了解決帶有反民主主義、非自主性的朝鮮半島體制問題的方案，就這一點來說，可認為它超越了「統一論」的「民主主義論」。根據作者的觀點，克服分斷體制與其說是「由於是同胞因此必須統一」的民族主義課題，不如說是在實現韓國乃至整個朝鮮半島的民主主義的同時，為世界體制的變革做出貢獻的更高境界的課題。

作者尤其強調的是，朝鮮半島的分斷體制不僅受到世界局勢的複合影響，而且是一個自我再生產的體制，所以為了克服它需要對其特點有一個透徹的認識和採取相應的對策。首先，南北朝鮮都需要充分考慮這些複合問題的各個層面，從實踐角度分別分析長期、中期、短期的課題，並通過綜合研究摸索出相配套的多層次的實踐方式。作者認為，以二〇〇〇年南北首腦會談時發布的「六・一五共同宣言」為契機，分斷體制從動搖期進入解體期。

分斷體制的動搖一方面為打破分斷體制帶來了積極的影響，另一方面朝鮮半島陷入不穩定狀態因而可能陷入更大的困難，更迫切需要多數民眾的明智的呼應。本書在二十世紀九〇年代中期分斷體制動搖的背景中，摸索各種實踐方案，而「六・一五共同宣言」以後，這些方案變得更具體。本書中的建設性的提案，如建設包容南北居民互相不同的歷史經驗及現實的新形態的複合國家的構思、根本轉變對統一的認識、集結不同派別進步改革勢力的要求等，到了二〇〇〇年進一步發展成為「作為過程的統一」、「南北國家聯合建設」、「市民參與型統一」、「變革的中庸主義」等實踐性的理論。作者堅信通過朝鮮半島平凡人民的覺醒，可以克服分斷體制，進而為開啟全球智慧的時代做出貢獻。這些信念並不是高調宣揚的「應該論」，而是尊重多數大眾日常生活的徹底的現實主義。

《動搖的分斷體制》　白樂晴　著

創批社／1998／152×225mm／258頁

【目錄】引言／I／1.為了分斷體制克服運動的日常化／2.IMF時代的統一事業／3.金日成主席去

世後的朝鮮半島形勢與分斷體制論／4.民族文學論、分斷體制論、近代克服論／5.分斷體制克服與基於生態學的想像力／6.改革文化與分斷體制／7.哈貝馬斯（Habermas）有關德國與朝鮮半島統一的觀點／8.二十一世紀韓民族共同體的可能性及意義／9.有關金永鎬對分斷體制論的批判／10.六月民主抗爭的歷史意義與十週年的意味／11.作為統一思想的宋鼎山的建國論

作者簡介

白樂晴（Paik Nak Chung, 1938-）

韓國具有代表性的知識分子、文學評論家、英文學者，引領了民族文學論、分斷體制論等進步的實踐理論的創建。畢業於美國布朗大學，在哈佛大學以大衛・赫伯特・勞倫斯（D. H. Lawrence）研究獲得英國文學博士學位。現為首爾大學名譽教授。作為《創作與批評》季刊的總編輯和發行人積極開展批評活動。擔任民族文學作家會議理事長、「六・一五共同宣言」實踐南方委員會常任代表等職，致力於推動對分斷現實的系統認識和在實踐過程中如何克服之的探索。主要著作有《民族文學與世界文學》、《統一時代韓國文學的價值及意義》、《韓半島式統一：現在進行型》、《哪裡是中途，為何變革》、《動搖的分斷體制》等。最近出版了以一九六八年一月至二〇〇七年六月參與的座談、對談、討論、採訪等為主要內容的五卷本對話錄。曾獲大山文學獎、韓民族統一文化獎、金大中學術獎等。

（釜山大學教授、歷史學家柳在建撰　喬禹智譯　白玉陳譯校）

東亞
人文
100

KR-20

吳柱錫

解讀古畫的樂趣

本書作者是通過對韓國繪畫的歷史考察，在復原諸多畫家足跡的同時，尤其注重通過對作品本身充分的鑑賞找尋作者的造型意識，進而揭示出朝鮮時代最初的造型觀念的美術史家。

他主要研究朝鮮時代的繪畫，為了理解當時的藝術精神，廣泛研讀了構成朝鮮時代藝術精神基礎的中國和韓國的典籍，大量涉獵各種文獻資料，尤其是長期研究古代文人畫家不斷學習但又難以理解的《周易》，終於悟出了東洋文化的基礎——陰陽五行說的原理，並充分體驗了古畫世界。他特別關注金弘道和李寅文，也特別喜愛創造出時代氛圍以培育這些傑出畫家的正祖皇帝的思想、文學和藝術。為了更好地開展研究，他還親自臨摹堪稱朝鮮時代畫家教科書的各種畫譜。他試圖圍繞當時的思想、哲學、文學開展繪畫研究，開闢了韓國繪畫史研究的新篇章，最早揭示了不少事實的真相。此外，他克服了不著邊際、故弄玄虛的美術研究，積極舉辦講座，致力於美術的大眾化，他對韓國美術的新解釋被沒有成見的大眾熱烈接受，而且他也喜愛大眾。以此為背景誕生的書就是《解讀古畫的樂趣》，這部書為我們揭示了古畫的真面目。

解讀尹鬥緒的《陳摶墮驢圖》，以前並不為我們所了解的故事會讓我們感動、驚奇。如果沒有他淵博的知識和深刻的思考，也許我們永遠都讀不懂這幅畫的本意。陳摶從毛驢上掉了下來，但他卻滿臉笑容，這是為什麼？作者從這個疑問開始，為我們詳細解讀了這幅畫中的故事和寓意。唐朝滅亡後經歷了近半個世紀的群雄割據時期。有一天，陳摶騎著毛驢在行走途中聽說了趙匡胤建立宋朝成為宋太祖的消息，於是拍掌大笑，因為過分激動而從鞍子上掉了下來，但口中仍大喊著「天下從此穩定」。從毛驢上掉下來的陳摶的臉為何會是畫家尹鬥緒內心的寫照？尹鬥緒又為什麼會把這幅畫獻給肅宗皇帝？對這些疑問，作者也都通過文獻資料給讀者以解答。

又如對鄭敾的《仁王霽色圖》的解讀，也如同一個美麗動人的故事走進我們的內心世界。這幅畫並非是雨過天晴後的仁王山，而是畫家鄭敾和詩人李秉淵的「肖像畫」。作者對這幅畫，探究了它令人壓抑的力量和悲壯的情感從何而來。對於這幅畫的完成時間，或許就如早已被從這幅畫中截掉的沈煥之的題詩中所說，是鄭敾摯友李秉淵去世的一七五一年閏五月二十九日。為了精確知道這幅畫到底是鄭敾落款中標明的五月下旬的哪一天，作者翻閱《承政院日記》，查找了當時的天氣情況：五月初一開始到十八日，雨斷斷續續，從十八至二十五日下了一週的大雨，到二十五日下午才天晴。由此作者確定，鄭敾畫的是二十五日下午的仁王山，同時指出鄭敾就是帶著希望終生摯友李秉淵如同水霧臬臬的仁王山一樣能夠盡快康復的虔誠而作畫，因此充滿悲壯感。住在仁王山山麓的李秉淵的天性與容貌就是這幅畫裡的仁王山。七十六歲的鄭敾把六十年摯友面臨死亡的悲痛刻入到他的作品中。

清代董棨說：「臨摹古人，求用筆明各家之法度，論章法知各家之胸臆。用古人之規矩，而抒寫自己之性靈。心領神會，直不知我之為古人，古人之為我。是中至樂，豈可以言語形容哉！」本書作者就是在這樣的「至樂」中生活的美術史家。

《解讀古畫的樂趣》（全二卷）　吳柱錫　著

第1卷・初版／松樹出版社／1999

修訂版／2005／176×248mm／264頁

第2卷・初版／松樹出版社／2006／176×248mm／235頁

【目錄】第1卷／引言／1.豪放的線裡的禪／2.悠悠翻開的三昧經／3.跟隨夢境／4.未完成的悲壯美／5.音樂與文學相遇／6.君子的樂趣／7.寒冷時節的畫／8.誰，誰贏／9.熱熱鬧鬧的老百姓的開心像／10.耿直的儒士的自畫像／11.老詩人的肖像畫／第2卷／引言／1.松樹下的山中豪傑／2.充滿畫幅的春光／3.紀念民族的永遠之歌／4.交給女兒的流放客的心／5.無根祖國的悲哀／6.一個儒士端正的人生

作者簡介

吳柱錫（Oh Ju Seok, 1956-2005）

畢業於首爾國立大學東洋史學科。歷任湖嚴美術館和國立中央博物館的學藝研究員，研究朝鮮時代繪畫史。之後作為中央大學和延世大學兼任教授，以韓國繪畫美術的大眾化為自己的使命，開展各種講演活動。深入研究了檀園——金弘道和古松流水館道人——李寅文的繪畫世界，策畫了國立中央博物館、湖嚴美術館、澗松美術館收藏的包括金弘道的繪畫在內的大型展覽會，並編輯了《檀園金弘道》資料集。主要著作有《解讀古畫的樂趣》、《檀園金弘道》、《韓國的美講座》、《李寅文的江山無盡圖》、《吳柱錫喜愛的我們的圖畫》、《漫遊在繪畫中》等。

（一鄉韓國美術史研究院院長、考古學家姜友邦撰　喬禹智譯　白玉陳譯校）

金東椿

戰爭與社會

對我們來說韓國戰爭是什麼？

二〇〇〇年代，韓國社會掀起清算歷史遺留問題的風氣。歷史遺留下來的問題在解放過程中就沒能得到清算，直到現在還作為壓制韓國社會的陰暗力量，成為了民主主義的障礙物。不過，從草根社會即民眾社會中形成了想要揭開民主化運動過程中被遮掩、扭曲的歷史真相的潮流，而這些潮流到二〇〇〇年中期躍升到國家層面，金東椿就身處這個漩渦之中。

《戰爭與社會》具有如下特徵：

首先，從戰爭與國家主義關係著手，考察了被美國與蘇聯、韓國與朝鮮相衝突的歷史車輪下的人民生存狀態問題。他從卡爾克勞塞維茨（Carl Phillip Gottlieb von Clausewitz）的古典命題「戰爭是政治的延長線」出發，提出貫通韓國戰爭的國家暴力問題。

第二，從民眾的視角、客觀考察了國家暴力問題。曾因為截斷漢江大橋、放棄首爾的李承晚政府成為棄民的首爾市民，他們給「殘留派」扣上了服役嫌疑者的帽子，而其他被占領地區人民也遭遇同樣的問題。被占領地區，金日成政權瘋狂處理反動分子；在收復地區，李承晚政權又實行處理服役分子政策。這種可以稱作大量屠殺的人類犯罪行為，這種毫無人道的罪行在幾十年來一直沒得到解決。這些大量屠殺作為軍隊、員警的作戰概念，以隨意處置、報復等形式，由正式、非正式組織進行。作者把殘酷的戰爭中展開的微觀層面的眾多行為和衝突按照社會科學方法加以分析、分類，試圖客觀接近問題實質。

第三，在本書中並不把深受韓國戰爭影響的韓國社會問題作為韓國的特殊問題來加以對待，而是作為帶有普遍性的概念、用社會科學的方法加以說明。作者跟蹤考察了克勞塞維茨有關戰爭的基本認識、把戰爭時期圍繞財產所有關係發生的各種問題與國家理念聯繫在一起考察的涂爾幹（Emile Durkheim）的理論，以及把近代國家的統治秩序與主權概念視為戰爭痕跡的同時，把社會體制本身也視為戰爭的延長的傅柯（Michel Foucault）的認識，是如何作用於韓國戰爭及韓國國家形成的。但是需要指出的是，金東椿《戰爭與社會》最大的價值在於，這本書並不是以西歐的理論概念說明韓國而是從韓國歷史中挖掘出帶有普遍性質的概念，推導出可溝通的歷史和可溝通的理論。

但是，本書的幾個前提及解釋卻存在一些問題。其中之一是始終把民眾看成是國家暴力的被害者或被動者。要是把戰爭視為政治的延長，民眾作為對國家權力的多種拮抗關係之一，其能動性或抵抗性問題是否也可以被視為其中的一種可能性？再就是對有關民眾的記憶或記錄所具有的兩面性及解釋可能性也會存在不同異見。民眾對國家的關係類似於他們對國家的記憶或記錄之間的關係。要是被解釋的事實隨著狀況及關係變化可以重新被解釋，那麼如何確保圍繞民眾行為的更為客觀的研究？

《戰爭與社會：對我們來說韓國戰爭是什麼？》 金東椿 著

初版／Dolbegae（石枕社）／2000

修訂版／Dolbegae（石枕社）／2006／152×225mm／488頁

【目錄】序文／1部：另外一場戰爭／2部：避亂／3部：占領／4部：屠殺／5部：超越國家主義

作者簡介

金東椿（Kim Dong Choon, 1959-）

在韓國近現代史研究方面嶄露頭角的社會學者。畢業於首爾大學師範學院，在該校大學院獲得社會學博士學位。歷任首爾大學地區綜合研究所研究員，美國加州大學洛杉磯分校訪問學者，現任聖公會大學社會科學專業教授。曾參加韓國產業社會協會、歷史問題研究所等學術團體的活動。一九八九年至今歷任《歷史批評》編輯委員，《經濟和社會》編輯委員和編輯委員長。主要著作有《一九六〇年代的社會運動》、《韓國社會勞動者研究》、《韓國社會科學的新探索》、《分裂與韓國社會》、《戰爭與社會》、《近代的陰影》、《美國的引擎、戰爭和市場》等。二〇〇四年被《Hankyoreh日報》評選為「引領韓國未來的一〇〇人」，曾獲得丹齋學術獎。

（漢城大學教授、社會學家金貴玉撰　喬禹智譯　白玉陳譯校）

東亞人文100

KR-22

閔斗基

與時間競爭

東亞近現代史論集

本書是終生從事東洋史學研究的閔斗基先生從首爾國立大學退休後忍受病痛整理出來的遺作。

本書的主題之一，集中體現在〈與時間的競爭——二十世紀東亞的革命與「膨脹」〉這篇緒論中。為對抗西歐的壓力、建立和發展國民國家，在東亞地區內部展開的競爭中，經歷國民革命、共產革命的中國的革命，以及日本帝國主義的膨脹，屬於可參照的不同的近代化之路，但是都具有與時間競爭的共同特點。中國革命的基本性質，可用貫穿中國史的傳統主題——國家結構裡中央集權與地方分權的矛盾進行解釋；日本帝國主義無休止的膨脹則是因為強調日本文化優越性的主觀民族主義在起作用。在帝國主義狀況下，壓縮發展所引起的與時間的過度競爭，韓國也不能例外。在〈近現代東亞的社會變革〉一文中，作者通過各國歷史環境的差異來說明「為什麼在近現代的中國和韓國，革命優先於改革，而在日本的社會變革中卻極力迴避革命」。在對社會變革的研究方法上，他改變過去一味推崇革命和改革的做法，不以目標作為基準，而以重視傳統社會的條件作為出發點。作者提出為了成熟的東亞國家的未來，有必要重新考察壓縮發展的近代，而且提出，現在是對革命和膨脹的研究範式進行轉換的有利時機。

二十世紀九〇年代以後，超越民族主義色彩濃厚的單一國家的歷史，形成了指向整合性的東亞地域史的議論，這是全球化進展帶來的值得關注的思潮。在解析傳統時代東亞秩序本質的〈東亞的本質及其展望——從歷史接近的角度〉一文中，作者分析了與中國的大中心秩序共存的韓、日、越南各國的小中心秩序。在以基督教文化與大學院制度的樹立為主題的〈近現代在東亞的基督教〉和〈東亞的大學及其學術傳統〉兩篇文章中，作者從比較史學的角度說明了中日韓三國在與近代西歐文化的接觸過程中，由於其不同的歷史環境所導致的不同效果和存在的問題。

非常遺憾的是，作為責任意識非常強的學者，閔斗基先生沒能擁有更多的時間衝破專業領域的界線，為東亞史中韓國史的研究做出更多的貢獻。

《與時間競爭：東亞近現代史論集》　閔斗基　著

延世大學出版部／2001／152×225mm／320頁

【目錄】與時間的競爭——二十世紀東亞的革命與「膨脹」／東亞的本質及其展望——從歷史接近的角度／近現代東亞的社會變革／近現代在東亞的基督教／十九世紀後半葉朝鮮王朝的對外危機意識／東亞的大學及其學術傳統／李允宰（一八八八—一九四二）的中國經驗與韓國／滿洲的萬寶山事件（一九三一）與韓國輿論的反應／申彥俊（一九〇四—一九三八）與激動中國（一九二七—一九三五）現場報告／二十世紀中國的集權論與分權論／香港回歸的歷史考察／胡適與蔣介石

作者簡介

閔斗基（Min Tu Ki, 1932-2000）

將韓國東洋史學研究提升至國際水準的卓越的歷史學家。畢業於首爾大學史學專業，並以中國史學研究獲得該校博士學位。曾擔任崇實大學史學專業教授、首爾大學東洋史學教授，以及德國海德堡大學、美國哈佛大學、中國南京大學的研究員及客座教授。作為東亞近代史和中國史研究的權威，尤其對「中國近代化」的縝密研究，使韓國學界的中國史研究水準得到飛躍發展。許多著作在中國、日本、美國翻譯出版。主要著作有《中國史講座》（全七卷），《中國近代史論》、《中國近代改革運動的研究》、《中國國民革命的分析研究》、《辛亥革命史》、《中國早期革命運動的研究》等。曾獲得大韓民國學術院著作獎、出版文化著作獎、錦湖學術獎等。

（西江大學教授、歷史學家曹秉漢撰　喬禹智譯　白玉陳譯校）

東亞
人文
100

KR-23

林熒澤

韓國文學史的邏輯與體系

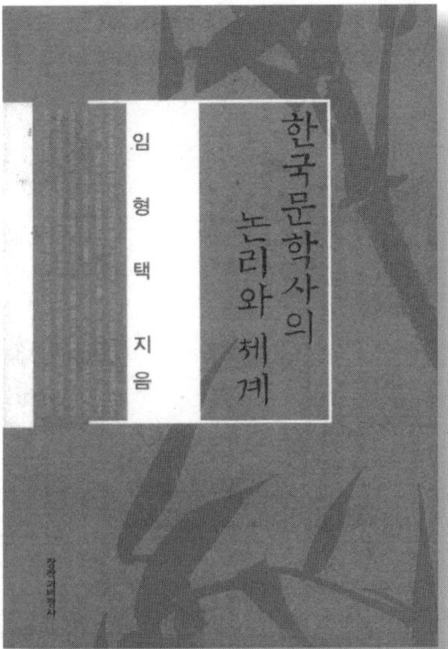

本書包含了作者超越文學史的斷層和對立，構築統一的韓國文學的意識，是作者為此而創作的一部力作。在本書中，作者嘗試整合國文學與漢文學及南、北文學，構築一部宏觀的整體文學史。

作者是韓國具有代表性的古典文學權威，也是宣導構築東亞文學史的帶頭人。一九八五年首次宣導使用「東亞文學」的概念以來，一直致力於創建東亞文學，本書即在此過程中誕生。要想有效與外部溝通必須先整理好內部，要想構築包括韓國在內的東亞共同體，則必須先整合被撕裂的韓國文學史。

作者認為韓國文學史有幾個斷層，近代以前分為國文學與漢文學，近代以後南朝鮮文學與北朝鮮文學又互相對立。作者從近代國家轉型過程的失敗中，找到韓國文學史不能構成完整文學史的根本原因。傳統的斷絕是由於建設近代民族國家的失敗而導致，文學史的對立則是由南北分裂延誤的近代化進程的差異而導致，因此構建能夠整合上述斷層問題的一個統一體系，是文學史面臨的最大課題。作者以對韓國學的全面淵博的知識為基礎，自由穿梭於古典文學與近代文學之間，提出了韓國文學史的整體體系和方向，其中囊括了國文學與漢文學的相互關聯、古典文學與近代文學的繼承關係、南朝鮮文學與北朝鮮文學的對立等一系列問題。

本書分六部分：

第一部分「總論」，以國文學與漢文學的相互關聯性為中心，探索文學史的統一體系。傳統的文學史直至十九世紀末還是以漢文學為主流，延續著漢文學與國文學並存的狀態。作者指出，隨著新文學的登場，雖然國文學與漢文學二元結構解體，但尚未達到與近代文學的真正意義相符合的發展性統合，因此從理論上統一對韓國文學的學術認識是最大的課題。

第二部分「詩歌史的認識與美學探索」，試圖在既認可兩者各自的意義又捕捉詩和歌的相互影響的情況下，探索其所創造的成果及美學價值。

第三部分「對文學藝術史的變化的考察」，作者關注了從十八世紀初直至二十世紀初的「創造性變化與近代轉型」，該時期也是引起文學史斷層的時期。作者通過具體案例，展現了因為十八世紀文學藝術的創造活力到十九世紀傾向於通俗化，導致文學近代化的道路大大受阻的情況，極具說服力。

第四部分「古代的散文世界及近代轉型」，把十九世紀末二十世紀初設定為近代啟蒙期，通過案例分析考察了散文世界的近代化轉型。

第五部分「語言表現與標記法的問題」，作者指出，國文學與漢文學的問題也是文字問題。作者關注實現文字生活變革的近代啟蒙期，多角度闡釋了文字的表現及標記法問題，也考察了漢文文體的退出與國文文體的建立過程、漢字的活用方案、外來語與英語之間的關係、語言主權的恢復等問題。

第六部分「研究史的省察、文學史的構想」，實事求是地考察了南北韓文學史的研究成果及問題，提示了二十一世紀韓國文學史研究的基本方向和體系。在這一部分的最後，作者歸納了完整的韓國文學史的核心事項，即描繪了囊括國文學與漢文學的對立否定關係、古典文學與近代文學的斷絕繼承關係、韓國文學與朝鮮文學的異質關係等一系列問題的完整的韓國文學史體系圖。

《韓國文學史的邏輯與體系》 林熒澤 著

創批社／2002／152×225mm／548頁

作者簡介

林熒澤（Lim Hyung Taek, 1943-）

在漢文學、韓國文學史研究方面取得傑出成就的國文學者。畢業於首爾大學的國文專業和研究生院。歷任成均館大學中文教育專業教授、民族文學史研究所代表、韓國古典文學研究會和韓國漢文學研究會會長。在擔任成均館大學研究院院長和東亞學術院院長期間，致力於振興韓國學並建立東亞學。主要著作有《文明意識和實學》、《韓國文學史的視角》、《實事求是的韓國學》、《韓國文學史的邏輯與體系》、《尋找我們的古典》等，編譯著作有《李朝時代的漢文短篇集》（合編譯）、《李朝時代的敘事詩》等。曾獲萬海文學獎、茶山學術大獎和丹齋學術獎。

（東亞文化研究所教授、國文學專家朴壽密撰　喬禹智譯　白玉陳譯校）

朴熙秉

運化與近代
對崔漢綺思想的吟味

本書作者通過重新審視東亞傳統知識分子思想的一系列著作，用批判的眼光重新品讀了近代韓國學以及東亞學的研究成果，同時根據二十一世紀的實際狀況對其進行了有意識地揚棄。進一步說，作者不僅生動地還原了近代韓國學遺漏或有意忽略的傳統思想家的思想，縝密考察了需要肯定與否定的兩個方面，而且摸索出超越傳統和近代的新的價值論。

作者特別關注朴趾源、洪大容、崔漢綺等在與西歐的思想交流中摸索與傳統思想交接點的韓國思想家。其中崔漢綺（一八〇三—一八七七）的生平和人生經歷並不廣為人知，流傳的眾多著作也是在二十世紀六〇年代以後才開始受到重視。他是十九世紀前近代與近代過渡時期的知識分子，一生構築了獨特而龐大的思想體系，在這個思想體系中，融和了堪與理學相匹敵的氣學，又大膽吸收了西洋的科學與經驗論，也不乏對世界層次的文明的構想。對他龐大的思想體系的解釋可以多種多樣。之前，韓國學界大都把他評價為最接近近代思想的知識分子。但是作者對此提出強烈的質疑，在還原崔漢綺思想的過程中剝離出了「近代」的外殼，而這是他研究的第一個出發點，也就是所謂的「近代省察接近法」。這起因於作者的這樣一種認識，即雖然不得不承認早已成為絕對標準的西歐意義上的近代含義，但對近代進行構思的可能性卻多種多樣。

在書的前半部，作者把崔漢綺的思想分為對「西洋的看法」、「世界主義」、「自然與人為」、「和平主義」以及「學問的統一」五個主題。作者在各個主題中同時分析了它的意義和局限性。

以「自然與人為」為主題的分析，由於可以體現崔漢綺的總體思想面貌、具體思想以及構築近代化思想的可能性，因此有必要進一步加以考察。作者指出，崔漢綺自覺拋棄了性理學，認為對客觀世界的認識是通過主體的經驗。崔漢綺對經驗的強調與人為的自律性相聯繫，此外也特別重視實用與實物、經驗與科學技術。但是，這並不是指「人為」完全脫離於自然規律，因為「人為」始終是在順應大自然的運行規律的過程中得到實現的，人的理性也要符合自然規律。在這一點上，崔漢綺的思想與以人本主義、機械世界觀為基礎的西洋的近代思想不同，具備了構築與西方思想不同的、特殊的近代思想的可能性，其中擺脫自我中心的謙遜的主體思想、包容機械主義的有機論就能說明這一點。

在書的後半部，作者通過更加細微的主題深化了其論題，可以粗略分為類似於「運化氣」的形而上領域，認識主體與認識論，社會、學問、政治問題，以及與東亞古今思想家的比較。作者的結論是，崔漢綺思想的出發點也是其旨歸的「運化氣」，儘管其基礎可以被肯定，但由於其強烈的目的性及自我完結性結構，因此只能歸結為「封閉的思維體系」。作者認為崔漢綺有別於同時代的福澤諭吉、康有為，反而與朝鮮的洪大容有些相似。把普遍價值埋沒在特殊性裡的日本的菁英知識分子，以及始終未能放棄中心主義的中國的菁英知識分子，容易陷入優或劣的世界觀，但思考「中心／周邊」問題的幾位朝鮮菁英知識分子則與之不同，他們認為只有把「中心／周邊」的概念相對化，才有可能使各個主體和平共處。

如果充分認識到一元有機論的危險性，那麼崔漢綺等朝鮮菁英知識分子所思考過的「新主體」，即不指向中心也無視「中心／周邊」關係的主體，以及它們之間關係的建立，可以讓生活在二十一世紀的我們重新思考個人與個人、社會與社會、人與自然等關係，而且實現和平共處、生態共生的基礎早已蘊藏在韓國學及東亞學的傳統智慧中。二十世紀的實際情況是，大多數近代東亞菁英知識分子，埋首於本國的「自國學」構建的近代知識體系，與他們制定的本應超越的目標——西洋知識體系極為相似。作者對二十世紀現實的反省與尋找對策的嘗試，似乎通過與崔漢綺的對話而受到了極大的啟示。

《運化與近代：對崔漢綺思想的吟味》 朴熙秉 著

Dolbegae（石枕社）／2003／158×203mm／240頁

【目錄】 引言／問題與方法／通過五個主題吟味崔漢綺思想／討論的深化與擴大

作者簡介

朴熙秉（Park Hee-byung, 1956-）

畢業於首爾大學國文專業，並在該校大學院取得博士學位。曾在慶星大學和成均館大學任職，現任首爾大學國文學科教授，教授韓國古典散文與批評，關注韓國思想史與藝術史。主要著作有《韓國古典人物傳研究》、《韓國傳奇小說的美學》、《韓國的生態思想》、《運化與近代：對崔漢綺思想的吟味》、《讀燕岩》等。曾獲得韓國百想出版文化獎著作獎、聖山學術獎等獎項。

（翰林科學院教授、韓國史專家李垌丘撰　喬禹智譯　白玉陳譯校）

金禹昌

風景與心

本書的主要問題意識可以分成五個方面，而其重點就是〈風景與先驗性的構成〉。〈風景與先驗性的構成〉的基本思路是對大地的感覺，更進一步說就是對空間的認識。人如何與土地發生關係？如何感性地體驗土地？如何從美學角度表現這種體驗？如何從哲學角度認識這種體驗？所嚮往的理想的狀態及幸福意識是何種面貌？還有，作為其表現之一的習慣與制度、思維體系與文化模式處於何種地位？作者試圖通過東西洋繪畫的差異、風水地理說、遠近法、《芥子園畫傳》、鄭敾的《金剛全圖》針對這些問題進行解答。

第一，朝鮮時代對理想社會的認識，無論是儒學、風水思想、神仙思想，都不是抽象的理念，而是把人們的具體體驗體系化的結果。思想和觀念並不是它本身，而是在與感受、思考的生活世界結合在一起時才有意義。作者把這些有意義的整體稱為「文化制約性的深層結構」或「生成性源形」（matrix）。饒有趣味的是，這個源形從每日感受到的現實中轉移到知覺現象中。所以，對理想狀態的認識作為一個統一的原理被融化在對土地與風景的感受中。這個原理成為一個時代和文化的整體認知體系，與知覺作用、空間概念、烏托邦等相遇在一起。知覺與理念、感覺與理性、具體與抽象、自由與必然、生活與審美的辯證法是貫通本書的「金禹昌思維」的核心。

第二，對土地的感覺只能從身體的生物學經驗開始，達到超越實體層次，上升到宇宙、形而上學層次時才可能穩定。所謂的「好的場所」即是一個空間，同時也與空間之外的地平線的另一頭緊緊相連。生命的空間只有在「與現在重疊的神祕影像」中包含這種超越性空間時，才變得完全（現代的生活喪失了這種超越性層面，而變得程式化），而山水畫從審美角度表現了這些思想，鄭敾的《金剛全圖》就是例子。

根據金禹昌的解釋，《金剛全圖》裡包含著多個層次的經驗，即對土地的感性體驗和地理學理解，以及存在於其根柢的形而上學的信仰和實現烏托邦理想的欲望。山水畫並不局限在傳統技法、素材或媒體問題，而是由空間知覺、文化習慣構成。在此，與西洋畫專注於物件的物理再現的、固定的遠近法相比，東洋畫所具有的多元視角的寫意傾向起到了很大的作用。東洋畫的風景，是畫面之外的風景，是畫家內心風景的寫照。這些從五世紀的宗炳及十一世紀的郭熙的作品裡即可得到確認，他們為了留住流逝的景象而作畫。東洋畫始終含有對根源空間的暗示。山水畫的目標，是如何在可視的空間承載非可視的整體。這就是第三個問題。

第四，如果說，西洋對土地的態度比東洋少一些感性而多一些科學性的話，或者說，與西洋畫相比，東洋畫的空間更注重體驗豐饒無限地傳達世界的空間性的話，那麼這意味著什麼？作者先提出了一個前提，就是地球上的各種文化與土地建立了各種不同的關係，又以各自不同的方式發展了各自的理想模式，並指出重要的是「要警惕褊狹的主張吞噬多樣的現實，要學習各種各樣的方式」。也就是說，通過加強對空間的無限性的認識來接近其本源，這是感知、體會風景的目標。

所以作為第五，我們可以提出這樣的問題，即人們通過內心的平靜，能夠獲得主體性的自我人生嗎？世界和平是主體的生命自我省察的結果。作者試圖超越「東洋是精神、西洋是物質」的二分法，考察整體人生的脈絡。並由此指出，信仰及理性構成了西洋的精神生活，而在東洋，靜態的自然的心態起著重要作用。

《風景與心》是對東洋的畫與理想狀態的嚴謹的省察，但支撐這種省察的是對感覺與世界、自由與必然、具體與抽象、難以再和諧的世界，以及崩潰的不和諧的現代社會的問題意識。所以，在這些意識之下不斷出現的疑問是：我們人類作為主體能夠正確地認識生存空間，創造性地組織生存空間，並在此空間中幸福地居住嗎？

《風景與心》　金禹昌　著

初版／思想之樹／2003

修訂版／思考之樹／2006／152×225mm／158頁

【目錄】1.感覺與世界／2.風景與先驗性的構成——傳統韓國的理想風景與場所的感覺／認識論與烏托邦／風水的理想像／《關東別曲》的仙境／鄭歚的《金剛全圖》／視角的體制與認識的體制／3.東洋傳統與平靜的心——東洋畫的精神與對生活的隨想

作者簡介

金禹昌（Kim U Chang, 1937-）

被象徵性地稱為「審美的理性」的韓國代表性人文學者。畢業於首爾大學英語專業，以關於美國文明史的論文獲得哈佛大學博士學位。歷任首爾大學、高麗大學英語專業教授，高麗大學研究生院院長、國際比較文學會（ICLA）執行委員、韓國批評理論學會會長、二〇〇五年法蘭克福書展組委會委員長。現為高麗大學名譽教授、梨花女子大學講座教授。以「理性」和「觀照」為思維根源而展開他的批評世界，尖銳地涉及了文學與哲學、政治與社會、藝術與自然等幾乎所有的人文學領域。他是相信精神、文化和理智的力量的人文主義者。主要著作有《金禹昌全集》（全五卷：《貧苦時代的詩人》、《至上的尺度》、《詩人的寶石》、《沒有法度之路》、《走向理性的社會》），以及《風景與心》、《探索審美理性》、《政治與生活的世界》、《三個圓圈：心、觀念、知覺》等。曾獲得大山文化獎、高麗大學學術獎、韓國百想出版文化獎著作獎、仁村獎、綠條勤政勛章等。

（高麗大學教授、德國文學專家文光勛撰　喬禹智譯　白玉陳譯校）

東亞人文100

KR-26

金福榮

韓國現代美術理論

眼與心

本書整理了從二十世紀七〇年代一直到該書寫作時的韓國美術理論，是一部試圖確立韓國現代美術理論的著作。其書名《眼與心》，讓我們想起法國現象學家梅洛—龐蒂（Maurice Merleau-Ponty, 1908-1961）的同名著作。正如作者所說，在畫家用眼與心觀察世界、探究事物的本質、探察世界的根源這一點上，可以發現與其相類似之處。儘管如此，該書的核心仍然是有關韓國人的眼與心的問題，它是一部探討韓國人怎樣用眼與心理解蘊藏在韓國現代美術中的藝術世界的著作。

本書作者試圖通過解釋畫家們所畫的世界，來了解畫家們豐富的內心，並以此作為理論構建的關鍵。作者構想出通過畫家個人的眼睛來觀察世界，同時又通過社會來探視畫家個人的雙向接近法。解讀推動現代美術發展的作家的眼與心來構築理論的做法，很好地把實踐和理論結合在一起，可以視為有價值的嘗試。其解讀的方法是，有機地考察作品中出現的「符號」以及它們所蘊含的意義世界，並揭示眼與心在其中是如何相互關聯的。

本書首先論述現代美術的眼與心的發展軌跡。作者以「無生命性與靜謐的單純性」、「形象的靜態性與匿名性」描述近代化黎明期（二十世紀五〇至六〇年代）的代表性藝術家朴壽根的眼與心，將其作品世界解釋為構築了傳統社會的價值與個人價值的交接點。將近代化前期（二十世紀六〇至七〇年代）開展各式各樣的運動的眼與心概括為「概念傾向與簡約主義的傾向」。將二十世紀八〇年代視為轉型期，在此時期出現了帶有新的感受性的表現方式。二十世紀九〇年代以後，作為所謂的近代化後期，以產業社會化、物質社會化、社會多元化為其主要特徵，經歷著身體與欲望、生活與歷史、實存與現實解體及復原的二重過程。

其次，通過分化的眼展開的類型（Genre）分析，可以稱之為作者獨有的有關韓國現代美術的類型論。他試圖樹立的三個類型是自然主義、智識主義（Intellectualism）和現實主義。通過這三種類型的區分，作者對我們的眼與實體之間的歸屬關係進行了闡釋。即，自然主義是把眼與心的主體歸屬到自然與現實這一實體；智識主義是把實體歸屬到主體之後，重又歸屬於實體的情況；而現實主義則是把實體與主體的關係理解為表像的重疊，即雙重表像的情況。

最後，探索了作為一種精神而存在的物質的實體。眼與樣式儘管存在多樣性，但作者試圖通過歸屬與重疊，以「實體」為名，揭示整合與一元化的可能性。作者把民族固有的原型視為全一主義或全一性。全一主義或全一性，不僅是韓國現代美術，而且也是韓國美術文化整體的核心詞，它是流淌於我們文化內部的自生性內在規律，或稱自然的內在規律。他把韓國自然主義繪畫所展示的單色畫面，或者是單色平面主義的基調，視為西歐物質主義與東洋泛自然主義嫁接的韓國式的美意識的產物。

《眼與心：韓國現代美術理論》　金福榮　著

Hangil社／2006／176×225mm／280頁

【目錄】引言／1.現代美術的眼與心的軌跡／近代化黎明期（二十世紀五〇年代至六〇年代）／近代化前期（二十世紀六〇年代至七〇年代）／轉型期（二十世紀八〇年代）／近代化後期（二十世紀九〇

年代以後）／2.分化的眼：類型論／自然主義／智識主義／現實主義／3.一種精神：整體性理論／全一主義的藝術社會學背景及方法論／標本作家／全一主義的神話批評解釋／結語：「眼與心」的遺憾

作者簡介

金福榮（Kim Bok Young, 1942-）

從弘益大學繪畫專業畢業之後，在首爾大學研究生院研究了美術理論與美學。歷任江原大學、首爾市立大學和弘益大學教授，現任弘益大學名譽教授。涉獵了分析哲學、藝術心理學、藝術社會學等諸多領域，把握了視覺語言研究的哲學背景及各種科研成果，將研究重點置於探索作為一門獨立學科的二十一世紀形象時代的藝術學。主要著作有《現代藝術學》、《現代美術研究》、《形象和視覺語言》、《眼與心：韓國現代美術理論》等。

（崇實大學教授、藝術哲學專家金光明撰　喬禹智譯　白玉陳譯校）

當代東亞人文經典100

2011年12月初版 定價：新臺幣380元

編　　者　東亞出版人會議
發 行 人　林　載　爵

出 版 者　聯經出版事業股份有限公司
地　　址　台北市基隆路一段180號4樓
編輯部地址　台北市基隆路一段180號4樓
叢書主編電話　(02)87876242轉203
台北忠孝門市：台北市忠孝東路四段561號1樓
電　　話：(02)27683708
台北新生門市：台北市新生南路三段94號
電　　話：(02)23620308
台中分公司：台中市健行路321號
暨門市電話：(04)22371234ext.5
郵政劃撥帳戶第0100559-3號
郵撥電話：27683708
印 刷 者　世和印製企業有限公司
總 經 銷　聯合發行股份有限公司
發 行 所：台北縣新店市寶橋路235巷6弄6號2樓
電　　話：(02)29178022

叢書主編　胡　金　倫
封面設計　小　山　絵
版型設計　蔡　南　昇

行政院新聞局出版事業登記證局版臺業字第0130號

本書如有缺頁，破損，倒裝請寄回聯經忠孝門市更換。 ISBN 978-957-08-3936-4 (軟皮精裝)
聯經網址：www.linkingbooks.com.tw
電子信箱：linking@udngroup.com

本書所引用之部分作者照片，因年代久遠，未能聯繫上作者本人、照片攝影者、照片擁有者。本公司已保留照片授權轉載費，敬請相關人士撥冗聯繫，以便呈付稿酬，以示謝意。

中文簡體字版　四川出版集團　四川教育出版社
韓國版　Hangilsa出版社
日文版　みすず書房